O ddweud stori i greu stori

yng Nghyfnod Allweddol 2

Dwedai hen ŵr llwyd o'r gornel,
"Gan fy nhad mi glywais chwedel,
A chan ei daid y clywsai yntau,
Ac ar ei ôl mi gofiais innau."

('Baled yr Hen Ŵr o'r Coed', 18g.)

O ddweud stori i greu stori

yng Nghyfnod Allweddol 2

Addasiad o
'THE BUMPER BOOK OF STORYTELLING INTO WRITING
Key Stage 2'

Pie Corbett

Addasiad Eirwen Jones

Addasiad o *The Bumper Book of Storytelling into Writing – Key Stage 2* gan Pie Corbett, Clown Publishing, 2007.

Clown Publishing, 7 Ferris Grove, Melksham, Wiltshire, SN12 7JW.

Addaswyd gan Eirwen Jones.

Argraffiad Cymraeg cyntaf 2009.

CBAC/WJEC
245 Rhodfa'r Gorllewin
Caerdydd
CF5 2YX

www.cbac.co.uk

Mae WJEC CBAC Ltd. yn elusen gofrestredig, yn gwmni a gyfyngir gan warant, ac yn perthyn i 22 awdurdod lleol Cymru.

ISBN 978-1-86085-657-0
Argraffwyd gan MWL Print Group, New Inn, Pontypŵl, NP4 0DQ

Cynnwys

Cyflwyniad

vii

Pennod 1   Dysgu Storïau   1

Pennod 2   Newid Storïau   20

Pennod 3   Gwneud Storïau   33

Pennod 4   Defnyddio'r Banc o Storïau   40

                 Storïau Blwyddyn 3   41

                 Storïau Blwyddyn 4   53

                 Storïau Blwyddyn 5   66

                 Storïau Blwyddyn 6   78

Atodiadau   89

Cydnabyddiaethau   102

Cyflwyniad

'How did Bob Dylan learn? By learning traditional songs. Creativity is about recreating. Learn other people's songs, then innovate.'

Patrick Lynch, *The Times*, 6/3/07.

Beth ydy'r llyfr hwn?

Banc o adnoddau ydy'r llyfr hwn ar gyfer athrawon sy'n dechrau datblygu 'gwneud stori' (yn hytrach na chreu stori o'r newydd) yng Nghyfnod Allweddol 2 fel rhan o'u cwricwlwm. Yn ddelfrydol, bydd y broses o 'wneud stori' wedi cael ei sefydlu eisoes yng Nghyfnod Allweddol 1 a bydd y plant yn cyrraedd Blwyddyn 3 gyda banc sylweddol o storïau adnabyddus yn eu meddiant. Ond, efallai y byddwch yn dechrau'r 'gwneud stori' am y tro cyntaf. Os felly, darllenwch y rhan sydd ar dudalen 7 o'r llyfr hwn sydd yn dwyn y teitl, 'Dweud Stori am y Tro Cyntaf'.

Yn y llyfr, amlinellir egwyddorion sylfaenol 'gwneud stori' a chyflwynir ystod o strategaethau addysgu; ceir hefyd fanc o storïau y gellir eu defnyddio ar lawr dosbarth. Gobeithir yn ogystal y bydd yr athrawon yn datblygu storïau eraill gyda'u gwahanol ddosbarthiadau ac y byddant yn ychwanegu'r rhai hynny at eu casgliad. Yr wyf wedi awgrymu nifer o lyfrau defnyddiol fydd yn ffynhonnell i'r gwaith yn yr atodiadau. Yn y llyfr hwn, rwyf wedi rhoi sylw i ddefnyddio chwedlau traddodiadol yn sail i ddatblygu sgiliau ail-ddweud stori'r plant. Ond, rhaid cofio y dylai plant ddweud storïau a dwyn i gof brofiadau eu bywydau eu hunain oherwydd, yn y pen draw, byddant yn tynnu ar y profiadau yma yn ogystal â'u gwybodaeth o storïau eraill i greu eu storïau newydd eu hunain.

Dros yr wyth mlynedd ddiwethaf, bu athrawon yn datblygu set o ddealltwriaethau yn ymwneud â'r broses o wneud stori. Nid set o reolau haearnaidd ydynt – rhaid mynd ati'n greadigol ac yn feddylgar, gan addasu wrth gywain agweddau gwahanol a newydd.

Naratif - rhan sylfaenol o'r meddwl

Mae dweud stori yn weithgaredd naturiol sy'n rhan o bob bod dynol. Ar y llaw arall, nodwedd o'r oes fodern, mewn gwirionedd, yw'r ffaith ein bod yn tybio bod pawb yn gallu ysgrifennu. Po fwyaf yr ydym wedi gweithio ar naratif, mwyaf yn y byd yr wyf wedi sylweddoli bod naratif yn ffordd hanfodol o feddwl. Ond yn ogystal â hyn rydym wedi gweld bod bodau dynol yn beiriannau dweud stori - mae'n edau gyson, naturiol sy'n gweu drwy'n bywydau. Felly, mae dechrau gyda dweud storïau ar lafar yn golygu ein bod yn tynnu ar broses hollol naturiol; ond mae ysgrifennu'n anodd – yn enwedig i blant bach! Mae'r ymennydd yn gyson yn ail-ddweud hanesion am yr hyn sydd wedi digwydd i ni, neu y mae'n meddwl am yr hyn all ddigwydd ac yn ceisio'i ragweld. Mae ein meddyliau'n fwrlwm o storïau am ein bywydau – mân glebran a hanesion yn ogystal â phatrymau sylfaenol bywyd bob dydd.

Cyflwyniad

Pam gwneud stori?

Tua wyth mlynedd yn ôl roedd bron i bob ysgol yr oeddwn i'n ymweld â hi yn ei chael hi'n anodd codi safonau ysgrifennu. Weithiau, roedd ysgrifennu'r plant yn llusgo ymhell tu ôl i'w darllen ... a dechreuais feddwl pam, tybed, mae hyn yn digwydd. Yr hyn y sylwais arno oedd y ffaith mai'r ysgrifenwyr gorau oedd y rhai oedd yn darllen yn awchus. Roedd hi'n amlwg bod y plant hyn yn mewnoli patrymau naratif - iaith storïau - ac yna'n eu hailgylchu wrth ysgrifennu.

Gwyddwn fod plant o gartrefi lle'r oedd rhieni yn darllen i'w plant yn ailgylchu fel hyn oherwydd fy mod wedi sylwi ar fy mhlant fy hun yn gwneud hynny. Dechreuais rannu'r syniad hwn gydag athrawon. Daeth yn amlwg yn fuan iawn fod yna gyfnod penodol sy'n gyffredin i bob plentyn sy'n cael y profiad o gael storïau gartref. Maent wrth eu boddau â stori arbennig ac yn mynnu bod rhywun yn ei darllen drosodd a throsodd iddynt. Yr hyn sy'n ddiddorol am y broses hon yw'r ffaith bod y plant yn ddiwahân yn dysgu'r holl stori, air am air, drwy ddarllen cyson, ailadroddus.

Bydd y plant yma wedyn yn ailddefnyddio peth o'r iaith maent wedi ei mewnoli ac yn chwarae â hi ar lafar. Sylwais fod creu stori ar y cyd â fy mhlentyn fy hun yn broses ddidrafferth oherwydd bod banc o strwythurau, cymeriadau, lleoliadau a phosibiliadau i chwilio a chwalu drwyddynt a'u hailddefnyddio eisoes yn ei le.

Arweiniodd y ffordd yma o feddwl at sylweddoli'n syml fod yn rhaid i'r ysgrifennwr fod yn gyfarwydd iawn â'i destun er mwyn gallu ysgrifennu unrhyw beth – a daw hynny orau drwy ddarllen testun drosodd a throsodd neu wrth wrando arno. Nid yw plant ifanc iawn yn darllen, wrth gwrs – maent yn clywed iaith yn cael ei darllen iddynt ac yn aml iawn yn ymuno yn y dweud gan lefaru'r geiriau'n uchel. Sylweddolais trwy hyn fod 'clywed' a 'dweud' yn ffordd bwerus iawn o fewnoli patrymau iaith – sef siarad y math o destun sydd dan sylw.

Wrth gwrs, os ydych am fynd ati i ysgrifennu unrhyw fath o destun byddai cael ei weld ar ei ffurf ysgrifenedig o fudd mawr. Fodd bynnag, wrth gymryd y cam hwn yn Lloegr, roedd y strategaeth llythrennedd yno yn gosod y pwyslais ar y symud o'r darllen i'r ysgrifennu - ond heb bwysleisio pwysigrwydd siarad am nodweddion y math o destun a welir. Roeddwn yn cyfarfod â llawer o athrawon a deimlai mai'r rheswm pennaf dros ysgrifennu gwael oedd bod y plant yn ddiddychymyg neu'n gwylio gormod ar y teledu! Roeddwn yn prysur ddod i'r canlyniad mai dod o hyd i strategaethau i gynorthwyo plant i fewnoli patrymau ieithyddol oedd yr angen fel cymorth i'w galluogi i gyfansoddi. Mewn geiriau eraill, nid eu hanallu i fedru dychmygu oedd y gwendid - ond yn hytrach y diffyg blociau adeiladu yn arfau ac yn sail i'w dychymyg.

Sylwais ar yr athrawon yn addysgu – roedden nhw'n dechrau gyda model o destun ac yna'n symud i'r ysgrifennu. Fodd bynnag, fe sylwais nad oedd yr athrawon yn oedi digon gyda'r model, ac o'r herwydd, nid oedd modd gweld y patrymau gwaelodol yn ysgrifennu'r plant.

Cyflwyniad

Man cychwyn y broses gwneud stori yw'r syniad yma o 'oedi' gyda model o'r testun – dod o hyd i strategaethau i'w wneud yn gofiadwy er mwyn i'r testun suddo'n ddwfn i gof tymor hir a gweithredol y plant, gan symud ymlaen pan fyddant yn hen gyfarwydd â'r model ... mor gyfarwydd fel eu bod wedi mewnoli'r testun, a'i fod ar gof a chadw yn eu meddyliau am byth. Dysgir iaith drwy:

■ ailadrodd – rhaid ailadrodd y patrymau hynny yr ydym am i blant eu mewnoli a'u sefydlu yn rhan o'u cymhwysedd ieithyddol;

■ batrwm cofiadwy - mae'r patrymau y maent yn eu hail-ddweud ac yn eu hailddefnyddio yn rhai cofiadwy am ryw reswm neu'i gilydd – maent yn swnio'n ddoniol, maent yn addas i'r dasg, ac yn labelu'r byd;

■ batrwm ystyrlon - mae'n rhaid i'r patrymau fod yn ystyrlon er mwyn galluogi'r plant i ailgylchu'r patrwm gramadegol sylfaenol ac felly gynhyrchu fersiynau rif y gwlith o batrymau brawddegol neu batrymau testun.

Y Stordy Stori – Cynlluniau ar gyfer y Dychymyg

Mae'r syniad o adeiladu stordy o storïau yn y meddwl yn hollol ganolog i'r broses gwneud stori. Beth fyddai'n digwydd pe bai plant yn y Derbyn yn dysgu deg stori syml – ac yna'n ychwanegu deg ym Mlwyddyn 1? Byddent yn symud i Flwyddyn 2 gydag o leiaf ugain stori i'w cynorthwyo wrth iddynt ysgrifennu. Wedi hynny, efallai y byddem yn dysgu rhyw un stori bob hanner tymor – gan roi banc o yn agos at 50 o storïau i'r plant erbyn iddyn nhw adael yr ysgol gynradd. Byddai'r stordy stori yn cynnig banc o syniadau a phatrymau i'r plant ac yn eu galluogi i dynnu o'r banc hwnnw wrth iddynt fynd ati i ysgrifennu. Mae'r syniad o 'fewnoli patrymau ieithyddol' yn rhannu i wahanol lefelau:

1. Yn gyntaf, y cyfan sydd ar gael yw patrwm y naratif – siâp mawr y stori – 'llwybr' y stori. Mae'n debyg iawn i fewnoli ffrâm ysgrifennu. Dros y blynyddoedd diwethaf daeth yn fwyfwy amlwg mai ychydig iawn o batrymau gwaelodol sydd yn cael eu hailgylchu drosodd a throsodd.
2. Yn ail, bydd plant yn mewnoli'r prif dalpiau naratif – cymeriad, lleoliad, gweithred, gwewyr meddwl, dilema/cyfyng gyngor, penderfyniad/datrysiad, agoriad a diweddglo.
3. Nesaf, mae plant yn mewnoli llif brawddegau. Bydd y plant yn dod i ddeall nad yw rhediad y brawddegau'r un fath mewn storïau ag ydynt pan fyddant yn cael eu dweud ar lafar. Er enghraifft, gall brawddeg ddechrau gydag arddodiad – *'ar draws y ffordd roedd hen dŷ'*, *'mewn dyffryn pellennig roedd cawr yn byw'*.
4. Yn olaf, mae plant yn mewnoli geirfa – yn adeiladu eu storfa o iaith. Yn arbennig felly, maent yn cywain banc ehangach o gysyllteiriau y gallant eu defnyddio i gysylltu a strwythuro patrymau naratif.

Yr hyn sy'n bwysig i'w nodi am glywed a dweud storïau yw mai dyma'r dull mwyaf pwerus o gaffael iaith – gwrando a siarad yw'r modd mae'r plant yn dysgu iaith.

Cyflwyniad

Mae'r broses gwneud stori yn anelu at gynorthwyo'r plant i fewnoli i'w cymhwysedd ieithyddol dyddiol nhw y strwythurau hynny y mae eu hangen arnynt i greu naratif ar gyfer eu dibenion nhw eu hunain.

Tra roeddwn i'n ymweld ag ysgolion, dechreuais holi plant Dosbarthiadau Derbyn a oeddent yn gwybod storïau. Darganfûm yn fuan iawn nad oedd nifer helaeth o'r plant yn gwybod yr un stori – ac os oeddent yn gwybod ambell un, ni allent ail-ddweud yr un stori yn ei chyfanrwydd. Fodd bynnag, o bryd i'w gilydd byddwn yn cyfarfod plentyn a fyddai'n traethu stori gydag awch ac asbri – yn amlwg roedd rhywun wedi darllen iddynt neu wedi dweud stori wrthynt. Gallwn glywed llais yr oedolyn yn dweud y stori oedd yn dod o enau'r plentyn.

Roedd ymchwil a wneuthum yn yr 'International Learning and Research Centre' yn ategu'r darganfyddiadau uchod. Dangoswyd mai dim ond 2% o blant oedd yn gallu ail-ddweud stori gyfan. Mae fy nyled yn fawr i Mary Rose a'r athrawon niferus hynny a weithiodd gyda ni yn y ganolfan ar y projectau ymchwil gwreiddiol i 'Storymaking' (Gwneud Stori) a ariannwyd gan Uned Datblygiadau Newydd y DFES. Yr oedd cyfraniad yr athrawon yn werthfawr iawn – roedd eu dosbarthiadau yn agored yn ogystal â'u meddyliau wrth i ni ddatblygu ein syniadau. Rwyf yn gwerthfawrogi cefnogaeth y rhai hynny sydd yn dal i gyfrannu eu syniadau, yn enwedig Mary Rose sydd â'i bryd ar greu sefyllfaoedd â chyfleoedd i bawb ddysgu gyda'i gilydd, a'i doethineb, a'i meddwl treiddgar. Rwyf wedi elwa wrth hél sylwadau doeth gan grwpiau ar draws y wlad, yn cynnwys athrawon ar Ynys Wyth, yn Bradford, ac yn Sir Ddinbych ymhlith eraill. Maent oll wedi cynorthwyo i lunio fy meddwl wrth i ni gerdded law yn llaw ar hyd taith y stori.

Mae ôl y project gwneud stori i'w weld ar fframwaith llythrennedd newydd Lloegr sydd bellach ag elfen dweud stori ym mhob un o flynyddoedd y cynradd. Roedd pwysigrwydd dweud stori wedi cael ei gydnabod yn y daflen 'Writing Narrative' a anfonwyd i bob ysgol gynradd yn Lloegr gan y 'National Literacy Strategy' yn 2001. (Codwyd testun y daflen o waith yr oeddwn wedi ei ysgrifennu ar y pwnc gyda David Almond, awdur 'Skelling', ar gyfer strategaeth CA3 Lloegr.) Dyma ddyfyniad o'r gwaith.

Dechreuasom trwy ddweud:

'Story writing is magical - its appeal lies in the creation of imaginative worlds. Stories help us to enthral, to intrigue, to entertain, to wonder and to bring our world and ourselves alive. There is a strong cycle that links reading, discussing, telling, listening and writing ... The roots of storywriting lie in a rich experience of listening to and watching stories, drama and role play, early story reading, frequent rereading of favourites and the telling/retelling of all forms of story.'

Yna, aethom ati i gyflwyno'r 'egwyddor' sy'n sylfaen i ysgrifennu naratif , sef yr egwyddor sydd dan sylw yn y llyfr hwn.

Cyflwyniad

- **Dynwared** – gellir seilio ysgrifennu a chreu stori ar storïau adnabyddus.

- **Datblygu/Datblygiad** – anogwch ysgrifenwyr ifanc i seilio eu storïau ar rai adnabyddus gan wneud newidiadau i gymeriadau, lleoliadau neu ddigwyddiadau.

- **Creu** - wrth i'r ysgrifenwyr ifanc gaffael banc da o storïau byddant yn cymysgu'r cynhwysion ac yn creu eu storïau eu hunain.

Mae'r llyfr hwn hefyd yn disgrifio'r broses o adeiladu banc o storïau. Mae'r dull yn un amlsynhwyraidd, yn ddull llafar yn bennaf gyda'r plant yn dysgu'r storïau ar eu cof er mwyn iddynt allu eu hail-ddweud neu eu defnyddio i'w cynorthwyo i greu eu storïau newydd eu hunain. Wrth ddweud y storïau byddant yn defnyddio symudiadau a map stori, sef sbardun gweledol i ddwyn y stori i gof. Mae yna, wrth gwrs, nifer o strategaethau eraill i gynorthwyo'r plant i fewnoli iaith a rhaid i'r rhain gydredeg law yn llaw â'r broses gwneud stori. Rhaid wrth wythïen gref o ddarllen, barddoniaeth, a drama. Defnyddir ffilm a llythrennedd gweledol hefyd, yn ogystal â siarad rhyngweithiol – mae'r rhain yn hanfodol.

Y 3 'Llygad'

Defnyddir tair agwedd greiddiol yn gyson yn y dosbarth neu ysgol gwneud stori. Penderfynodd nifer o ysgolion fod gwneud stori yn rhywbeth sydd yn digwydd yn ddyddiol. Mae hyn yn ddefnyddiol yn yr ardaloedd hynny lle mae'r plant yn cyrraedd yr ysgol heb glywed yr un stori yn cael ei darllen iddynt yn y cartref ac yn dysgu'r Gymraeg neu'r Saesneg o'r newydd. Stori yw'r bont rhwng cyfathrebu ac iaith i dir llythrennedd.

1. **Dynwared** – Dyma'r gallu i ail-ddweud stori er mwyn sicrhau bod gan y plant fanc o storïau ar gof a chadw. Yn wir, byddant yn gwybod y storïau cystal fel eu bod yn rhan o'u cof gweithredol tymor hir ac wedi treiddio i'w cymhwysedd ieithyddol.

2. **Datblygu/Datblygiad** – Dyma'r gallu i addasu stori adnabyddus er mwyn creu stori newydd. Efallai y byddant yn gwneud hyn drwy wneud newidiadau syml neu drwy ail-ddweud cymhleth. Mae dynwared neu ddatblygu yn weithgaredd dyddiol mewn nifer o ysgolion – mae'r plant naill ai'n dysgu sut i ail-ddweud y stori neu'n symud ymlaen i addurno neu newid y stori.

3. **Creu** – Dyma'r gallu i dynnu ar yr ystod eang o storïau sydd yn eu cof, a storïau o'u bywydau eu hunain, er mwyn creu rhywbeth newydd. Efallai y gwelir elfennau o wahanol storïau yn ogystal â syniadau hollol newydd. Mae creu yn digwydd unwaith yr wythnos mewn nifer o ysgolion, neu bydd y creu yn digwydd wrth i'r plant weithio ar uned stori.

Cyflwyniad

Yn olaf

'Reading is the creative centre of a writer's life.' Stephen King

Dros y pum mlynedd diwethaf mae mwy a mwy o ddiddordeb wedi bod mewn 'gwneud stori' fel proses effeithiol sy'n cynorthwyo plant i adeiladu eu banc o storïau ac i fynd ati i greu eu storïau eu hunain. Mae llawer o ysgolion ar draws y wlad a thramor wedi bod yn defnyddio'r dull hwn gan ddarganfod ei fod yn deffro'r natur greadigol – fedrwch chi ddim creu allan o ddim byd! Ni all plant nad ydynt yn gwybod unrhyw stori greu stori eu hunain; gorau po fwyaf yw'r adnodd i dynnu oddi arno fel y gall y plant fod yn fwy creadigol.

Dro ar ôl tro, rydym wedi gweld gwaith y plant yn gwella – weithiau'n aruthrol oherwydd, o'r diwedd, y mae ganddynt rywbeth i'w ddweud. Mae rhai achlysuron pan fydd plant yr honnir fod ganddynt 'anghenion arbennig' yn tyfu o ran hyder ac yn arwain y dweud stori. Gall y cynnydd fod yn anhygoel.

Os ydych am wybod a yw'r dull yma'n gweithio yna recordiwch rai o'r plant cyn i chi ddechrau, gan ofyn, "Fedrwch chi ddweud stori wrtha' i?" Ar ôl nifer o wythnosau o wneud stori gofynnwch yr un cwestiwn eto – a gwrandewch ar y gwahaniaeth. Os yw'r addysgu yn drwyadl ac yn dal sylw'r plant fe'u gwelwch yn symud o fod heb stori i'w dweud (neu ddweud clogyrnaidd, digyswllt), i fod yn medru dweud stori ar ei hyd gyda rhuglder. Wrth gwrs, bydd plant hŷn yn ychwanegu eu syniadau hwy eu hunain er mwyn ei gwneud yn stori sydd yn eiddo iddynt hwy eu hunain.

Mae'r broses yn un ddigon syml. Buan iawn y daw'n rhan hyblyg o drefniant dyddiol y dosbarth. Erbyn hyn, mae nifer o ysgolion yn gwneud yn siŵr bod dweud stori wedi ei blethu i'w hunedau naratif fel bod Blwyddyn 6 yn darllen nifer o storïau gan Michael Morpurgo ac yn gweithio hefyd ar stori lafar fydd, yn y diwedd, yn asgwrn cefn i'w creadigrwydd hwy eu hunain. Gall y canlyniadau fod yn eithaf dramatig – felly daliwch ati!

Beth am fynd ati, gyda'n gilydd, i greu ysgolion sydd â storïau yn greiddiol i'r addysgu – oherwydd hebddynt, bydd gennym ysgolion dienaid. Mae'n werth cofio mai calon pob diwylliant yw cân, dawns, celf, crefydd ... a storïau. Heb y celfyddydau, nid oes gennym galon – heb ddiwylliant bydd ein haddysg fel llwch ar adain y gwynt.

Pennod 1 Dysgu storïau

Y cam cyntaf (a elwir yn aml yn 'ddynwared') yw rhoi cymorth i'r plant adeiladu banc o storïau. Dylai hyn fod yn hawdd ac yn eithaf naturiol: mae'r athro'n dweud stori a'r plant yn raddol yn ymuno yn y dweud nes y byddant wedi dysgu'r stori ar eu cof – nes bod y stori wedi ei gwreiddio yn eu cof tymor hir ac yn fyw yn eu meddyliau am byth.

Pa stori?

Dewiswch stori yr ydych chi'n ei hoffi ac y bydd y plant yn ei mwynhau. Rwyf wedi darparu banc o storïau adnabyddus priodol yng nghefn y llyfr hwn ac wedi awgrymu ffynonellau yn yr atodiadau. Fodd bynnag, efallai y byddwch yn ddigon ffodus i gael plant sydd â'u gwreiddiau teuluol yn tarddu o draddodiadau eraill – gallwch rannu eu storïau hwythau hefyd. Wrth i'r plant symud drwy'r ysgol gynradd dylent ddod i wybod y storïau traddodiadol mwyaf adnabyddus sy'n perthyn i'n diwylliant ni; ond dylid ehangu'r banc i gynnwys storïau o draddodiadau eraill hefyd. Heb y storïau o'u traddodiad eu hunain ni all y plant gymryd rhan yn y traddodiad hwnnw, ac y maent wedi eu dadwreiddio ohono. Diddorol yw nodi y bydd y plant yn darganfod yn fuan bod traddodiadau gwahanol yn rhannu nifer o storïau sy'n gyffredin i'w gilydd – oherwydd ein bod i gyd yn fodau dynol, mae patrymau tebyg i'w gweld ledled y byd.

Addysgu'r storïau i'r plant

Rhaid dweud y stori yr ydych wedi ei dewis wrth y plant bob dydd, efallai sawl gwaith, gan wneud symudiadau, a defnyddio map neu fwrdd stori. Mae'r amser a gymerir i ddysgu'r stori yn amrywio – dim ond ychydig ddyddiau'n unig fydd eu hangen ar y crewyr stori aeddfetaf. Ond, bydd angen i blant ifanc Blwyddyn 3 ddweud y stori bob dydd am nifer o wythnosau. Rhaid sylweddoli bod defnyddio symudiadau yn hollbwysig er mwyn symud y stori'n ei blaen – yn enwedig defnyddio symudiadau ar gyfer y cysyllteiriau allweddol (gweler awgrymiadau yn yr atodiadau). Mae mapiau stori hefyd yn hanfodol oherwydd eu bod yn adnodd gweledol sy'n ysgogi cof y plant a gallant weld y plot ag un cip. Dylid ail-ddweud y stori a ddewisir yn gyson. Y nod yw sicrhau bod y stori'n cael ei phlannu yn eu cof a'u hatgofion.

Mapiau Stori

Ar ôl dweud y stori unwaith, ewch ati i dynnu llun map stori o flaen y plant. Dylai'r mapiau fod yn syml ac yn glir iawn er mwyn cyfleu'r stori ar y cynnig cyntaf – bydd yn eu hatgoffa'n weledol o gynnwys y stori. Cofiwch ddangos llwybr syml drwy'r stori ar y map – byddai llinell doredig neu linell sengl gyda saeth yn gwneud y tro.

Dysgu storïau

Rhaid i'r map fod ar ddalen fawr o bapur siwgr a dylid ei ddangos o flaen y plant yn eglur. Cadwch y map mewn man amlwg er mwyn i'r plant allu ei weld tra eu bod yn dysgu'r stori. Wedi dysgu'r stori gellid lamineiddio'r map stori a'i gadw ar fachyn mapiau stori yn y dosbarth. Gellir ailymweld â'r storïau hynny o bryd i'w gilydd.

Unwaith y byddwch wedi gwneud map stori ac wedi ei ddefnyddio ar gyfer dweud y stori eilwaith, mae'n werth i'r plant fynd ati i lunio'u mapiau stori eu hunain. Ar y dechrau bydd y plant yn copïo eich mapiau chi, ond gall plant sy'n fwy aeddfed ychwanegu mwy o luniau a geiriau fel cymorth i ddwyn y stori i gof. Mae'r weithred o ailbrosesu'r stori a'i phortreadu ar ffurf wahanol yn eu cynorthwyo i wneud y stori yn fwy cofiadwy. Os ydych am i blant gofio rhywbeth, gorau po fwyaf y maen nhw'n ymwneud ag ef mewn gwahanol ffyrdd fel eu bod yn fwy tebygol o'i gofio.

Gellir cadw'r mapiau mewn llyfr o fapiau stori neu ddyddlyfr ysgrifennu o dan benawdau pynciol a gallant fynd â'r mapiau gyda nhw o flwyddyn i flwyddyn. Wedi'r cyfan mae modd defnyddio'r mapiau ar unrhyw lefel a gellir ailymweld â nhw i greu storïau newydd.

Nid yw pob stori yn addas ar gyfer mapiau, er bod mapiau yn werthfawr am eu bod mor weledol. Efallai y bydd yn rhaid i chi ddefnyddio bwrdd stori, mynydd stori neu siart llif. Beth bynnag yw'ch dewis – cynigiwch ddull syml gweledol gan y bydd hynny'n help i'r plant hynny sy'n meddwl yn weledol. Gellir defnyddio gwrthrychau i bortreadu'r stori fel sbardunau gweledol, e.e. pypedau neu luniau. Bydd hyn o gymorth mawr i'r rhai sy'n dysgu'r iaith am y tro cyntaf; ond yn y pen draw byddwch am i'r plant 'ddychmygu' a 'gweld' y stori yn eu meddyliau.

Symudiadau

Tra bod defnyddio mapiau stori, gwrthrychau neu luniau yn gymorth i roi sbardun gweledol i'r plant, mae symudiadau sy'n cyd-fynd â'r stori yn sbardun cinesthetig sy'n gwneud yr iaith a'r stori yn fwy cofiadwy. Mae hefyd yn ffordd dda o gynorthwyo'r plant i ddeall beth sy'n digwydd. Gellir defnyddio symudiadau i ddangos digwyddiadau; yn aml iawn, y plant fydd yn creu'r symudiadau hyn. Fodd bynnag, dylai fod gan y cysyllteiriau allweddol symudiadau penodedig sydd yn gyson yr un fath bob tro fel bod y plant ym mhob dosbarth yn medru troi at y cysyllteiriau hyn ac adeiladu banc ohonynt ar gyfer creu eu storïau eu hunain.

Dylem ein hatgoffa ein hunain nad geiriau yn unig yw iaith – mae rhythm a symudiadau yn rhan o iaith hefyd. Wrth i chi edrych ar Ffrancwr yn siarad, fe welwch yn fuan iawn fod pob math o symudiadau yn cyd-fynd â'i sgwrs! Mae iaith a symudiadau yn rhan annatod o'i gilydd.

Dysgu storïau

Wrth ddweud storïau bydd y plant yn defnyddio cysyllteiriau naratif arferol (Un tro, un diwrnod, i ddechrau, yn gyntaf, wedyn, ar ôl hynny, yn sydyn, yn olaf). Byddai o fudd pe bai modd i'r athro ailymweld â rhai o'r nodweddion ieithyddol hyn yn ystod gweithgareddau'r dosbarth, e.e. *'Pnawn 'ma rhaid i ni wneud pedwar peth. Yn gyntaf... yna... wedyn... ar ôl hynny. Ar ôl hynny mi gawn ni stori...'*

Ailadrodd yn ddosbarth cyfan – y stori gymunedol

Bydd rhai athrawon yn poeni bod ailadrodd yr un stori drosodd a throsodd yn debygol o fod yn ddiflas. Efallai bod hyn yn wir ond mae'n bwysig ystyried a sylweddoli pa mor hoff yw bodau dynol o ailymweld â'r un patrymau. Rwyf i wedi gwrando ar The Beatles ers dros 30 mlynedd ac rwyf yn dal i fwynhau eu caneuon. Yn rhesymegol, mae hyn yn hurt. Dw i'n gwybod beth sy'n mynd i ddigwydd; dw i'n gwybod y gân air am air, nodyn am nodyn. Felly pam ydw i yn dal i wrando ar batrymau mor gyfarwydd ac yn eu mwynhau?

Er mwyn goroesi, efallai bod arnom angen y cysur o batrymau pendant yn ein bywydau; fel arall byddai bywyd yn un stwnsh aneglur o ddigwyddiadau ar hap. Felly, mae bodau dynol yn categoreiddio, labelu a chreu patrymau fel bod y byd yn dod yn rhywbeth y maent yn ei ddeall a bywyd yn gyfres o arferion a phatrymau na allent oroesi hebddynt. Meddyliwch mor gythryblus yw ein bywydau pan fydd ein trefniadau dyddiol yn mynd ar chwâl. Mae patrymau yn gysur sylfaenol ac yn fodd i fodau dynol ymdopi â'u bywydau. Felly hefyd y mae naratif o gymorth i gyflwyno patrymau sylfaenol. Mae naratif yn dempled a ddefnyddiwn ar gyfer ein bywydau er mwyn gallu egluro ein profiadau wrthym ni ein hunain – ac i'n hegluro ni ein hunain i'r byd.

Efallai y byddwch, ymhen amser, am roi cynnig ar newid a darganfod ffyrdd eraill o fywiogi dweud storïau ar y cyd fel dosbarth. Rhowch gynnig ar y canlynol:

- pawb i ddweud y stori gyda'i gilydd;
- merched yn unig neu fechgyn yn unig;
- pawb sy'n gwisgo glas/coch/gwyrdd ...;
- grŵp neu bâr yn arwain y dosbarth;
- plentyn unigol yn eistedd yng nghadair y 'storïwr';
- plentyn yn arwain y dosbarth yn gwisgo clogyn neu het dweud stori;
- dweud y stori mewn dulliau gwahanol – yn uchel, yn dawel, yn fwyn, neu feimio'r symudiadau yn unig – yn gyflym, gyflym fel rwtsh ratsh.

Dysgu storïau

Tynnu'n ôl o'r dweud

Pan fyddwch yn dweud stori wrth y dosbarth am y tro cyntaf, chi fydd yn arwain y ffordd. Anogwch y plant i ymuno yn y gweithgaredd nes eu bod yn dweud pob gair gyda chi. Mae'n bwysig i chi dynnu eich hunan yn ôl oddi wrth y dweud yn raddol os ydych am i'r plant ddatblygu i fod yn annibynnol. Y mwyaf y byddwch chi'n rheoli'r dweud, y mwyaf y bydd y plant yn dibynnu arnoch chi. Yn wir, fydd rhai plant ddim yn ymuno o gwbl am eich bod chi'n gwneud y gwaith i gyd – byddant yn eistedd yno'n oddefol ac yn fodlon braf, yn gwylio'r hyn yr ydych chi'n ei wneud.

Er hynny, nid 'perfformiad' dweud stori sydd yma – y bwriad yw i'r plant ddysgu'r stori. Unwaith y byddwch wedi dweud y stori drwyddi nifer o weithiau, bydd y plant yn cofio'r prif rannau - yn aml y rhannau mwyaf rhythmig, ailadroddus, y ddeialog a'r rhannau ffrwydrol, dramatig. Daliwch ati nes bydd y plant yn ymuno ym mhob rhan.

Unwaith y bydd y plant yn ymddangos yn hyderus, gallwch ymatal rhag dweud y geiriau - efallai mai dim ond gwneud siâp ceg o'r geiriau y byddwch chi, neu efallai gynnig sbardun drwy wneud symudiadau. Os yw plant yn cloffi wrth ddweud y stori, rhaid i chi neidio i mewn i gynnal y dweud. Y bwriad yw i chi symud o fod yn rheoli'r dweud at fod yn wrandäwr. Bydd y plant yn newid o fod yn wrandawyr i fod yn storïwyr.

Yr athro'n dweud y stori	Tynnu'n ôl a chefnogi	Yr athro'n gwrando ar y stori
Y plant yn gwrando ar y stori	Ymuno fwyfwy yn y dweud	Y plant yn dweud y stori

Cylchoedd stori

Fel y bydd y plant yn magu hyder i ddweud stori fel dosbarth cyfan, gallwch symud i ffurfio cylchoedd stori. Bydd y plant yn eistedd mewn nifer o gylchoedd bychain ac yn ceisio dweud y stori ar yr un pryd. Dylid sicrhau bod oedolyn gyda'r cylch stori ar y dechrau rhag iddynt fynd ar ddifancoll. Os nad ydynt yn gwybod y stori'n ddigon da byddant yn llithro i gyfres ddiddiwedd o frawddegau a fydd yn cael eu cysylltu gydag 'ac yna'. Ni ddylai'r athro reoli'r grŵp; yn hytrach dylai eistedd ar y cwr, yn barod i gynnal y plant os ydynt yn colli'r trywydd. Gwnewch yn siŵr, hefyd, fod y plant yn gallu gweld eu mapiau stori.

Storïau mewn pâr

Peidiwch â rhannu'r plant yn barau nes y byddwch yn sicr bod y stori wedi treiddio i gof tymor hir y plant – bydd hyn yn cymryd yn hwy na'r disgwyl. Os byddwch yn rhannu'r plant yn barau yn rhy fuan, ni fydd y plant yn gwybod y stori'n ddigon da i'w hail-ddweud. Yn wir, efallai y bydd yn rhaid i chi ddal ati i ddweud y stori fel dosbarth cyfan nes y byddwch wedi cael llond bol arni! Y gamp fydd i'r athro gyflwyno'r stori mewn gwahanol ffyrdd gan ei chadw'n hwyliog a bywiog.

Gall parau weithio mewn tair ffordd wahanol. Y cam cyntaf yw i'r plant ddweud y stori gyda'i gilydd. Rhaid iddynt eistedd gyferbyn â'i gilydd gan syllu i lygaid y naill a'r llall. Byddant yn dweud y stori ac yn gwneud yr un symudiadau ar yr un pryd fel pe baent yn edrych mewn drych. Dylai'r mapiau stori fod ar y llawr o'u blaenau. Bydd raid i chi fodelu gweithio'n barau gan ddangos iddynt yn union beth i'w wneud.

Yr ail gam yw gadael i'r naill a'r llall yn y pâr ddweud y stori darn wrth ddarn. Yn aml bydd hyn frawddeg wrth frawddeg. Y trydydd cam yw i'r parau ddweud y stori mewn dau hanner gyda'r plentyn sy'n gwrando yn barod i annog ac atgoffa'r llall.

Gall y plant gael eu paru gyda pharau o blant o ddosbarthiadau eraill i ail-ddweud eu stori. Bydd hyn yn darparu cynulleidfa ac ysgogiad ar gyfer yr ail-ddweud – wedi'r cyfan, holl bwrpas dysgu stori newydd yw gallu ei dweud wrth rywun arall!

Beth am y rhai nad ydynt am ymuno?

Yn aml mae ambell i blentyn nad yw am ymuno yn y gweithgareddau. Byddant yn eistedd ac yn syllu arnoch fel pe baech wedi dod o blaned arall. Dyma'r plant sy'n aml yn peri pryder i ni a rhaid eu gwylio'n ofalus; y sialens fydd darganfod ffyrdd i'w hannog i gymryd rhan. Rhaid gofyn – a ydynt yn mewnoli'r stori?

Weithiau, diffyg hyder sy'n eu rhwystro rhag cymryd rhan; ond o dipyn i beth, gyda llawer o wenu i'w hannog, byddant yn ymuno yn yr hwyl. Bydd angen oedolyn ar eraill i eistedd gyda nhw i'w hannog. Efallai bydd rhai yn elwa o weithio mewn grŵp bychan neu'n barau gydag oedolyn. Yn aml bydd defnyddio pypedau neu bypedau bys yn help i'r plant llai hyderus - bydd y sylw'n cael ei drosglwyddo i'r pyped yn hytrach na'r plentyn wedyn. Efallai y bydd un plentyn yn peri pryder i chi – ond bydd Mam yn siŵr o ddod i mewn un diwrnod a dweud wrthych cymaint mae'r plentyn hwnnw wedi mwynhau ail-ddweud y storïau gartref! Bydd y plant hynny sy'n dysgu'r Gymraeg neu'r Saesneg yn dilyn y symudiadau yn unig ar y dechrau – ond trwy ailadrodd stori sy'n gyfarwydd i bawb, drosodd a throsodd, byddant hwythau yn dechrau dweud y geiriau hefyd.

Dysgu storïau

Paratoi i ddweud stori

Gall y tro cyntaf y byddwch yn dweud stori heb lyfr fod yn brofiad eithaf annifyr. Byddwch yn poeni rhag ofn i chi anghofio'r geiriau, felly mae angen paratoi'n drylwyr. Dyma'r camau sylfaenol:

1. Chwiliwch am stori.
    Gallwch ddefnyddio stori o'r llyfr hwn er mwyn i chi gael hwb i ddechrau'r gwaith, neu efallai y bydd gennych hoff stori yr hoffech ei rhannu gyda'r plant. Dechreuwch gyda stori syml er mwyn i chi – a'r plant – fagu hyder. Peidiwch â phoeni; bydd yr ail stori yn haws i'w dysgu oherwydd eich bod yn ymarfer rhan o'r ymennydd sydd heb gael ei defnyddio'n aml iawn. Hefyd, byddwch yn datblygu cof a strategaethau sy'n eich galluogi i ddysgu darn mawr o destun.

2. Addaswch y stori.
    Mi fyddaf yn ailysgrifennu'r stori bob amser. Dw i'n gwneud hyn yn rhannol am fod ailysgrifennu yn fy helpu i ddysgu'r stori – mae'r weithred o'i hailbrosesu yn fy ymennydd a'i gosod ar dudalen yn fy nghynorthwyo i'w chofio. Dw i'n gwneud hyn hefyd am fy mod am gynnwys rhai patrymau brawddegol a geirfa (yn enwedig cysyllteiriau) er mwyn i'r rhain gael eu hailadrodd cymaint o weithiau fel eu bod yn rhan o ieithwedd y plant (sylwch ar y banc yn yr atodiadau).

3. Gwnewch fap stori.
    Mi fyddaf yn gwneud map stori cyn mynd yn agos at y dosbarth. Mae hyn yn bwysig. Dydy hi ddim yn hawdd creu cynllun syml gweledol i gynrychioli'r plot. Bydd y broses o symleiddio'r stori i gyflwyno'r prif ddigwyddiadau ar fap yn gymorth i mi fewnoli patrwm y stori (gweler stori Charlie Bach ar dudalen 9 am enghraifft).

4. Ymarfer.
    Mi fyddaf yn rhoi'r stori ar dâp neu ar CD er mwyn ei chwarae yn y car neu ar fy 'Ipod'. Pan fyddaf yn recordio'r stori byddaf yn gwneud hynny frawddeg wrth frawddeg gan adael gwagle rhwng pob un. Byddaf yn gadael digon o wagle rhyngddynt er mwyn i mi allu ailadrodd y frawddeg. Felly, mae'r recordiad yn fy nysgu i; mae'n dweud brawddeg – yna, byddaf yn ailadrodd yn y gwagle. Wrth i mi deimlo fy mod i'n gwybod ychydig, byddaf yn diffodd y recordiad ac yn rhoi cynnig ar ei dweud yn uchel. Byddaf yn gwneud hyn nes y byddaf yn ei gwybod yn bur dda.

5. Meddyliwch am y symudiadau.
    Yr elfen olaf yw gwneud yn siŵr fy mod i wedi meddwl a phendroni am y symudiadau. Mae'n werth cael rhai symudiadau sy'n aros yr un fath – y cysyllteiriau allweddol, er enghraifft (gweler y Banc o Symudiadau yn yr

atodiadau). Fodd bynnag, gellir gwneud ambell i symudiad gan ddilyn awgrymiadau'r dosbarth – mae hyn yn rhoi elfen o berchnogaeth ar y stori i'r plant.

Dweud y stori am y tro cyntaf

Gall dweud stori am y tro cyntaf fod yn anodd. Fodd bynnag, unwaith y byddwch wedi rhoi cynnig arni, byddwch yn sylweddoli cymaint o hwyl ydy'r gwaith. Dyma rai awgrymiadau i'ch helpu:

- gosodwch eich map wrth eich ymyl er mwyn i chi gael cip arno yn ôl yr angen;
- rhowch fap ar y wal y tu ôl i'r plant rhag ofn i chi fynd ar goll – gallwch gael cip sydyn arno dros bennau'r plant;
- gosodwch y sgript wrth eich ymyl er mwyn i chi gael cip arno;
- rhowch sgerbwd y stori ar gerdyn i sbarduno'r cof;
- rhowch y prif olygfeydd ar gardiau unigol ac yna cymysgwch y cardiau wrth ddweud y stori gan gymryd cip sydyn ar y cerdyn os oes angen eich atgoffa o'r stori;
- rhowch ddau ddosbarth gyda'i gilydd a dywedwch y stori gyda phartner – gydag un ohonoch yn darllen o'r sgript.

Wedi i chi ddweud y stori unwaith – yna byddwch yn magu hyder, oherwydd y tro nesaf bydd y plant yn eich helpu ac yn eich rhoi ar ben y ffordd â'u cwyn " Nid dyna ddywedoch chi'r tro diwethaf!". Y gwir amdani yw y bydd gennych, ymhen dim, eich fersiwn eich hunain yn y dosbarth. Byddwch yn dweud y stori hon gyda'ch gilydd, ac o dipyn i beth bydd y stori yn dilyn patrwm penodol.

Wrth i chi ddweud y stori, gwnewch yn siŵr bod y plant yn eistedd yn gyfforddus ar y carped – gwnewch yn siŵr eich bod yn gweld llygad pob plentyn. Dywedwch y stori a daliwch i edrych o gwmpas y grŵp gan syllu arnynt a'u tynnu at y stori â'ch llygaid. Gwnewch eich llygaid yn fwy a defnyddiwch eich corff i helpu gyda'r mynegiant. Cyflymwch ac arafwch, defnyddiwch ambell i saib dramatig, a chofiwch godi a gostwng eich llais weithiau. Os oes rhai o'r plant yn edrych yn ofnus, gostegwch eich llais rhag eu dychryn. Ychwanegwch gwpledi syml a'u hailadrodd neu rhowch gynnig ar ddechrau gyda rhigwm byr. Rwyf weithiau'n defnyddio offeryn cerdd ar y dechrau a'r diwedd fel modd o sicrhau bod pawb yn gwrando.

I ffwrdd â chi - y stori gyntaf

Dechreuodd stori 'Little Charlie' (Charlie Bach) ei bywyd fel 'Little Daisy' ac yna aeth yn 'Little Jack'. Fe'i creais gyda help Mary Rose fel stori i'w defnyddio'n gyntaf, gan roi ynddi batrymau penodol. Mae hi'n stori syml i'w dysgu. Gellir ei datblygu ar lefel syml drwy wneud ychydig newidiadau, ei hailddefnyddio fel patrwm siwrnai sylfaenol, neu gellir ei datblygu ar lefel mwy soffistigedig.

Dysgu storïau

Deall y stori

Wrth reswm mae llafarganu'r stori yn un peth – ond rhaid bod yn ofalus rhag mynd ati i lafarganu yn ddiystyr. Rhaid dweud y stori gyda mynegiant ac amrywiaeth er mwyn rhoi bywyd iddi. Os ydych chi'n gweithio gyda phlant sy'n dysgu'r Gymraeg neu'r Saesneg, neu gyda phlant sy'n brin eu geirfa, yna rhaid defnyddio pethau i'w cynorthwyo, e.e. gwrthrychau neu luniau. Dyma ffordd i ddysgu geirfa mewn ffordd syml, synhwyrol a hwyliog. Mae egluro ystyr geiriau yn bwysig iawn.

Gwneud y gwaith yn gofiadwy

Mae nifer o ffyrdd y gellir eu defnyddio i wneud stori'n gofiadwy. Mae dweud y stori'n ddyddiol yn bwysig ond nid yw hynny'n ddigon i ambell blentyn – yn enwedig y plant hynny nad ydynt yn dysgu drwy ddull clybodol/clywedol (*auditory*).

Ystyriwch stori megis 'Jac a'r Goeden Ffa'. Bydd athrawon yn gwneud nifer o weithgareddau ac yn tynnu ar ddiddordebau'r plant er mwyn gwneud y stori'n fwy cofiadwy. Gellir plannu a thyfu ffa, gwneud map enfawr o'r siwrnai ar y wal, rhoi cymeriadau yn y gadair goch, ysgrifennu dyddiadur Jac, cyfweld gwraig y cawr yn dilyn lladrad, a gwneud peintiadau a modelau, i enwi ychydig yn unig o'r gweithgareddau posib hynny. Mae'n werth holi'n hunain – beth yw'r gweithgareddau a fydd yn gymorth go iawn i'r plant fewnoli'r stori? Yn naturiol, mae modd i weithgareddau eraill darddu o'r stori wrth ei thrafod gyda'r plant – bydd y rhain yn rhan o'r cwricwlwm ehangach.

Yn wir, po fwyaf y byddwch yn ymwneud â stori, y mwyaf y bydd y stori yn cael ei hailbrosesu yn y meddwl mewn nifer o ffyrdd, gan ddod yn fwy cofiadwy o'r herwydd. Mae'n werth datblygu rhaglen amlsynhwyraidd er mwyn sicrhau bod gan y plant weithgareddau a fydd yn agor pob sianel ar gyfer y dysgu yn ogystal â chyfleoedd i 'chwarae'r' stori:

Gweledol – map, bwrdd stori, siart llif, peintio, tynnu llun, modelu a gwylio'r stori;

Clybodol – clywed a dweud y stori, trafod, ail-ddweud, drama;

Gwybyddol – triciau i ysgogi'r cof, trafodaethau, cysyllteiriau allweddol;

Cinesthetig – drama, chwarae rôl, dawns, gwneud modelau, adeiladu.

Cofiwch **GCGC** (talfyriad o'r uchod) wrth gynllunio, gan wneud yn siŵr eich bod wedi caniatáu cyfleoedd i storïau gael eu portreadu drwy gelf mewn dull gweledol, drwy ddrama mewn dull cinesthetig, yn ogystal â chyfle i ail-ddweud y stori ac i feddwl amdani.

Charlie Bach

Un tro roedd bachgen bach o'r enw Charlie yn byw wrth ymyl dinas fawr.

Yn gynnar un bore deffrodd Charlie a dywedodd ei fam, "Cer â'r bag o bethau neis yma i dŷ dy nain." Yn y bag, rhoddodd – ddarn o gaws, torth o fara a sgwaryn o siocled.

Yna, cerddodd a cherddodd a cherddodd nes iddo gyrraedd pont.
Yno daeth wyneb yn wyneb â chath – hen gath denau, hen gath filain.
"Dw i'n llwglyd," meddai'r gath. "Beth sydd gennyt ti yn dy fag?"

"Mae gen i ddarn o gaws a thorth o fara." Ond cuddiodd y siocled!
"Mi gymera' i'r caws, plîs," meddai'r gath. Felly dyma Charlie yn rhoi'r caws i'r gath a dyma hi'n bwyta'r caws i gyd.

Yna cerddodd a cherddodd a cherddodd nes iddo gyrraedd llyn.
Yno daeth wyneb yn wyneb â hwyaden – hwyaden wen, wen fel yr eira.
"Dw i'n llwglyd," meddai'r hwyaden. "Beth sydd gennyt ti yn dy fag?"

"Mae gen i dorth o fara." Ond cuddiodd y siocled!
"Mi gymera' i'r dorth o fara, plîs," meddai'r hwyaden. Felly dyma Charlie yn rhoi'r dorth i'r hwyaden a dyma hi'n bwyta'r dorth i gyd.

Yna cerddodd a cherddodd a cherddodd nes iddo gyrraedd cloc y dref – tic toc, tic toc, tic toc. Yno daeth wyneb yn wyneb â nid un, nid dwy, ond tair colomen flêr.
"Dan ni'n llwglyd," meddai'r colomennod. "Beth sydd gennyt ti yn dy fag?"
Yn anffodus, doedd dim ar ôl ond y siocled. Yn ffodus, daeth Charlie o hyd i ychydig o friwsion. Felly chwalodd y briwsion ar y ddaear a dyma'r tair colomen yn bwyta'r briwsion i gyd.

Yna cerddodd a cherddodd a cherddodd nes iddo gyrraedd croesffordd.
Yno daeth wyneb yn wyneb â ...neb.
"Mmmm, dw i'n llwglyd," meddai Charlie. "Beth sydd gen i yn fy mag? Mmmmmm, siocled!" Felly dyma Charlie yn bwyta'r siocled i gyd!

Yna cerddodd a cherddodd a cherddodd nes iddo gyrraedd tŷ Nain.
Yno daeth wyneb yn wyneb â Nain.
"Dw i'n llwglyd," meddai Nain. "Beth sydd gennyt ti yn dy fag?"
Yn anffodus, doedd dim ar ôl ond papur gwag y siocled. Yn ffodus, roedd gan Nain bitsa a sglodion i de.

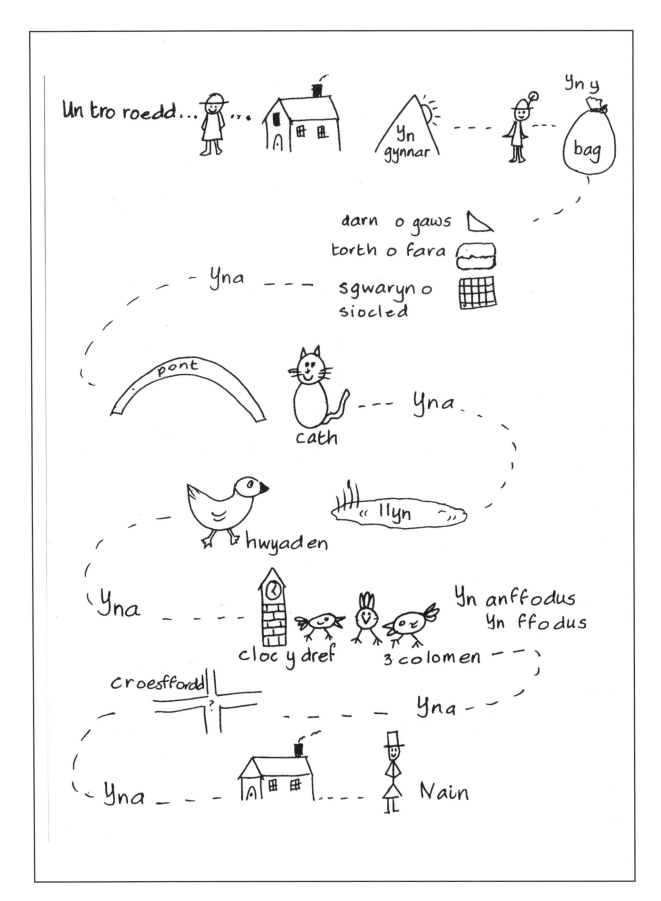

Dysgu storïau

Darparu cynulleidfa ar gyfer y stori

Yn yr hwrli bwrli o ddysgu'r stori mae'n hawdd anghofio beth yw pwrpas dweud stori – sef i'w rhannu â rhywun arall. Mae gwerth o hyd mewn cynnwys gweithgareddau o ryw fath yn y rhaglen sy'n rhoi cyfleoedd i'r plant i ail-ddweud y stori wrth gynulleidfa newydd:

- perfformiad dosbarth cyfan yn y gwasanaeth boreol;
- cofnodi'r perfformiad ar fideo/camera digidol a'i ddangos i ddosbarthiadau eraill gan ddefnyddio'r Bwrdd Gwyn Rhyngweithiol;
- dosbarth, grŵp neu barau yn ail-ddweud y stori wrth ddosbarthiadau eraill;
- gwneud CD o'r ail-ddweud a'u gwerthu i'r gymuned.

Mae rhai dosbarthiadau yn defnyddio recordydd mini wrth wneud stori. Mae'r plant yn dysgu stori ac yn ei recordio. Mae hynny'n golygu eu bod yn gallu gwrando arnynt eu hunain yn ail-ddweud stori – nhw eu hunain, felly, yw'r gynulleidfa. Dyma ffordd syml o gynorthwyo'r broses o ailddrafftio ar lafar.

Bocsys stori, amgueddfeydd a phypedau

Dyma weithgareddau hwyliog a chyfleoedd i gyfleu stori drwy ddefnyddio gwrthrychau gweledol. Gall y bocsys gynnwys gwrthrychau o'r stori. Mae modd iddynt fod yn flychau syml – bocsys esgidiau efallai – wedi eu haddurno, a'r gwrthrychau o'u mewn. Trwy dorri dwy ochr y blwch i ffwrdd fe allwch greu 'ystafell' syml neu olygfa, gan ddefnyddio dodrefn o dŷ dol, a.y.b.

Mae'r amgueddfa stori yn syniad tebyg. Bydd y dosbarth yn casglu gwrthrychau o'r stori yn ogystal â delweddau, ffotograffau, clipiau fideo, a synau gan greu amgueddfa stori fydd yn dilyn patrwm y stori yn y dull y dywedir hi. Gellir gosod yr amgueddfa yn y neuadd er mwyn i eraill ymweld â hi. Mae pypedau mawrion, pypedau bys a phypedau ffyn yn rhan greiddiol o ddosbarth gwneud stori. Mae'r rhain yn ysgogiad real ar gyfer ail-ddweud storïau wrth gynulleidfa.

Drama a dweud stori

Mae drama yn gydymaith naturiol i wneud stori. Mae'n galluogi'r plant i ymgyfarwyddo â'r testun yn dda iawn; maent yn aml yn gorfod gwrando ar y testun eto ac ailddefnyddio rhannau ohono. Mae gweithgareddau drama yn hynod o werthfawr am eu bod yn annog y plant i ddychwelyd at y stori wreiddiol ac i fewnoli'r patrymau; mae'n datblygu eu dealltwriaeth a'u gallu i ddehongli. Gall drama helpu plant i ddechrau meddwl am syniadau newydd ar gyfer eu datblygiadau nhw eu hunain.

Dysgu storïau

- **Yr athro yn cymryd rôl** – wrth wneud hyn mae modd cyflwyno problemau, ychwanegu dyfnder, dal y ddrama'n gyfanwaith gan gynnal y rhediad a dyfnhau crediniaeth. Chi, yn aml, fydd y ffigwr awdurdodol, neu'r negesydd sy'n cludo newyddion i ychwanegu at y ddrama.
- **Y plentyn yn cymryd rôl – chwarae rôl** – golygfeydd neu ddigwyddiadau eraill fyddai'n effeithiol iawn ar gyfer y 'datblygu' er mwyn helpu plant i liwio golygfa.
- **Chwarae rôl yn rhydd** - bydd darparu ardal chwarae a rhoi'r dillad priodol yn yr ardaloedd yn gwahodd y plant i 'chwarae'r' stori.
- **Y Gadair Boeth / Y Gadair Goch a rhewi fframiau.**
- **Meimio golygfeydd** – meimio golygfa o stori. Ydy'r gweddill yn gallu dyfalu pa olygfa? Meimio beth all ddigwydd nesaf.
- **Cyfarfodydd** – cynnal cyfarfod i drafod beth sydd wedi digwydd gan gymryd rôl pentrefwyr a thrafod, 'beth nesaf?'.
- **Actio'r stori** – yr athro ac efallai'r mwyafrif o blant y dosbarth fydd yn ail-ddweud y stori a bydd grŵp yn actio'r stori. Yna, bydd y plant yn gweithio mewn grwpiau ac yn actio'r stori gan ddefnyddio storïwr.
- **Theatr bypedau** – dylid defnyddio pypedau bys a theatr fach er mwyn i'r plant chwarae gyda'r stori – ei hail-ddweud neu greu syniadau newydd gan ddefnyddio'r un cymeriadau.
- **Newyddiadurwyr** – cyfweld â chymeriadau'r stori gan eu holi am yr hyn sydd wedi digwydd.
- **Rhaglenni 'newyddion'** – sefydlu uned ddarlledu allanol – teledu a radio – e.e. cyfweliad gydag Ellyll gan drafod ei ymddygiad ymosodol tuag at fandaliaid lleol.
- **Ymson** - gwneud amlinelliad o'r cymeriad ac ychwanegu swigod siarad - beth mae ef/hi yn ei feddwl ac yn ei deimlo? Rhaid i'r athro ddangos sut 'i feddwl yn uchel' gan ddadlennu 'meddyliau ym mhen' cymeriad. Efallai mai cymeriad mewn stori fydd hwn neu gymeriad nad oes sôn amdano, e.e. Efallai bod gwraig y blaidd wedi cael llond bol ar ei gampau ..."Mae o byth a beunydd yn chwythu a chwythu o gwmpas y ffau. Wn i ddim beth sy'n bod arno fo ..."
- **Mân siarad** – rhwng y cymeriadau am ddigwyddiadau. Gallai'r rhain fod yn brif gymeriadau ond bydd y rhai sy'n sefyll o gwmpas yn helpu i ailymweld â'r hyn ddigwyddodd – dull o ail-ddweud, e.e. mae cymydog yr eirth yn dweud hanes Elen Benfelen yn torri mewn i'r tŷ, wrth un o'i ffrindiau.
- **Galwadau ffôn symudol** – galwad ffôn symudol oddi wrth un o'r cymeriadau i gymeriad arall nad yw ar y llwyfan, dull perffaith o ddweud am ddigwyddiadau a chynnig safbwynt gwahanol.
- **Syrjeri cynnig cyngor neu gymryd rôl clust barod i wrando** – dyma gyfle i weithio gyda'r prif gymeriad gan dreiddio o dan groen yr hyn maen nhw wedi bod yn ei wneud: pam – ystyried y cymhelliad. Efallai bydd y cyngor a roir yn awgrymu ffyrdd eraill o symud y stori yn ei blaen.
- **Datganiadau i'r heddlu** – beth sydd gan y blaidd i'w ddweud am ei ymddygiad?
- **Tynnu llun / Ysgrifennu gan ddilyn rôl** – tynnu lluniau o olygfeydd, mapiau, creu dogfennau – mae nifer o ffyrdd y gellir ysgrifennu gan ddilyn rôl ac mae'r rhain

yn helpu plant i ailymweld â'r stori, e.e. adroddiad ar ddiwedd tymor ar gyfer cymeriad, rhan o ddyddiadur, ysgrifennu llythyr at gymeriad arall, neu adroddiad i bapur newydd am yr hyn sy'n digwydd.

- **Gwrthrychau neu ddillad** – dweud hanes y cymeriad, neu osod gwrthrych o'r stori yng nghanol grŵp ac yna benderfynu beth sydd i ddigwydd, e.e. gosodir ratl babi yng nghanol grŵp wrth wneud gwaith ar y wyrcws ym Mhrydain Oes Victoria. Gadawyd y babi – beth ddylai ddigwydd? Defnyddiwch wisgoedd i ysgogi'r plant i feddwl am gymeriad; defnyddiwch wrthrychau eraill, e.e. botymau, darn o hen gôt, neu gynnwys poced.
- **Fforwm theatr** – gosod golygfa. Cymryd saib yn y gweithgaredd ac aelodau'r gynulleidfa yn cynnig syniadau i ddweud beth fydd yn digwydd nesaf.
- **Ail-actio golygfeydd allweddol** – e.e. yr eiliad mae Jac yn torri i mewn i gegin y Cawr.
- **Llys barn** – bydd yr athro'n cymryd rôl barnwr. Bydd y plant yn gyfreithwyr ac yn cyhuddo neu'n amddiffyn cymeriad, e.e. Y Dyn Haearn am iddo ddifetha cefn gwlad. Mae modd galw ar gymeriadau o'r stori i egluro'r hyn sydd wedi digwydd.
- **Rôl ar y wal** – bydd rhywun yn gorwedd ar y llawr – tynnir amlinelliad ac ychwanegir sylwadau, dyfyniadau ac awgrymiadau.
- **Meddyliau yn y pen** – e.e. gweithiwch fesul pâr – bydd un plentyn yn dweud yn uchel beth maen nhw'n ei feddwl wedi iddyn nhw gerdded heibio i hen dŷ. Yna, bydd eu partner yn cymryd rôl ac yn actio'r hen berson sydd yn byw yn y tŷ.

Dysgu storïau, ond nid 'air am air'

Mae cyd-ddysgu storïau ar y cof fel dosbarth gyda phob plentyn yn llafarganu'r stori â'i gilydd yn ffordd wych o fagu hyder, o gefnogi'r naill a'r llall ac o sefydlu patrymau naratif yn y meddwl. Fe welwch y bydd dysgu nifer o storïau fel hyn o fudd mawr. Yn wir, dylai'r rhai sy'n ei chael hi'n anodd dysgu neu sy'n ymdopi â'r Gymraeg neu'r Saesneg am y tro cyntaf ddal ati i ddysgu storïau ar y cyd am oddeutu blwyddyn neu ddwy. Os edrychwch chi ar destun *O ddweud stori i greu stori yng Nghyfnod Allweddol 1* fe welwch fod y storïau ar gyfer Blwyddyn 2 (a rhai o storïau Blwyddyn 1) yn addas ar gyfer y rhai sy'n cael trafferth dysgu a bydd hyn yn hwb i'w hyder. Defnyddiwyd storïau megis 'Yr Iâr Fach Goch' gyda disgyblion hŷn mewn dosbarthiadau anghenion addysgol arbennig gan brofi llwyddiant.

Fodd bynnag, wrth i'r plant ddatblygu'n storïwyr hyderus efallai y byddwch yn dymuno mynd ati i ddysgu'r storïau, ond heb ganolbwyntio ar eu dysgu 'air am air'. Bydd y plant yn dechrau datblygu eu fersiynau nhw eu hunain a bydd y rhain ychydig yn wahanol o'r dechrau un. Dechreuwch trwy ddweud y stori – neu gallwch wrando ar fersiwn wedi ei recordio, er nad yw hynny mor bwerus.

Dewiswch rywbeth cymharol syml. Gwrandewch ar y stori a'i thrafod. Yna ail-ddywedwch hi a gofynnwch i'r plant dynnu llun map stori. Edrychwch ar ambell i fap a awgrymir ar y cyd gyda'r plant a gadewch i'r plant siarad am y plot sylfaenol.

Dysgu storïau

Yna, gofynnwch i'r plant weithio'n barau i ddatrys y prif olygfeydd – gellir gwneud hyn drwy 'gerdded camau'r stori', h.y. bydd y plant yn cymryd un cam ar gyfer pob golygfa newydd – neu yn tynnu llun siart llif stori – sef blwch ar gyfer pob golygfa. Felly, gall stori Icarws (gweler storïau Blwyddyn 5, tudalen 66) gynnwys y prif olygfeydd, fel a ganlyn:

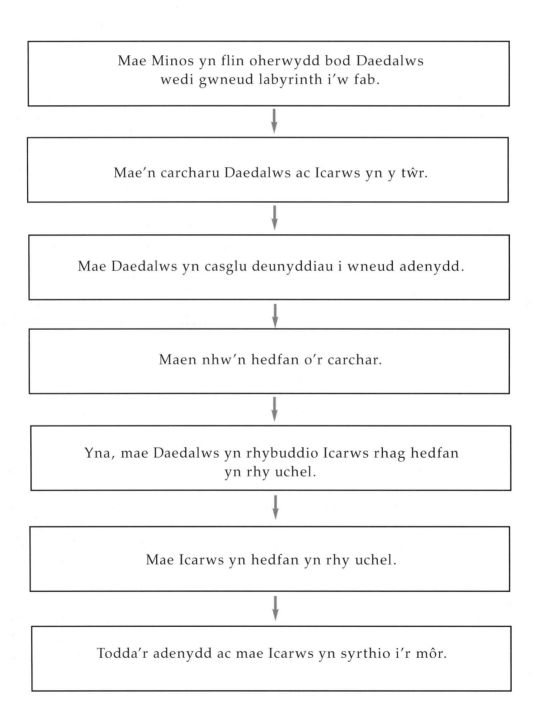

Mae Minos yn flin oherwydd bod Daedalws wedi gwneud labyrinth i'w fab.

Mae'n carcharu Daedalws ac Icarws yn y tŵr.

Mae Daedalws yn casglu deunyddiau i wneud adenydd.

Maen nhw'n hedfan o'r carchar.

Yna, mae Daedalws yn rhybuddio Icarws rhag hedfan yn rhy uchel.

Mae Icarws yn hedfan yn rhy uchel.

Todda'r adenydd ac mae Icarws yn syrthio i'r môr.

Dysgu storïau

Dewch at eich gilydd yn ddosbarth cyfan a chytunwch ar y golygfeydd allweddol. Mae modd i chi dynnu llun y rhain fel siart llif neu fwrdd stori. Fe welwch yn barod eich bod wedi dechrau datblygu'r hyn all, yn y pen draw, droi'n gyfres o ffotograffau.

Gadewch i'r plant ddefnyddio eu siartiau llif i roi cynnig ar ail-ddweud eu stori. Byddant yn benthyg llawer iawn o'r ail-ddweud gwreiddiol ond gallant 'ei dweud yn eu ffordd eu hunain'. O'r munud cyntaf byddant yn dechrau ychwanegu, addasu a datblygu eu stori.

Yna, ewch ati i weithio ar yr ail-ddweud. Wrth iddynt weithio ar agweddau gwahanol ar eu stori, gofynnwch iddynt gofnodi yn eu dyddlyfrau – ac yna ail-ddweud eu stori gan ychwanegu eu datblygiadau newydd. Felly, byddant yn dal ati i ail-ddweud, mireinio ac addurno eu stori. Yn y diwedd, wrth iddynt fynd ati i ysgrifennu, byddant wedi datblygu eu stori nhw eu hunain – ond yn fwy na hynny, byddant wedi gwella eu stori. Byddant wedi eu symbylu i ysgrifennu a byddwch wedi gwneud y gwaith o ysgrifennu'n haws iddyn nhw oherwydd nad ydyn nhw'n gorfod meddwl yn galed am yr hyn y maent am ei ddweud tra, ar yr un pryd, yn brwydro i ysgrifennu. Byddwch wedi rhyddhau darn enfawr o wagle gwybyddol. Efallai y byddwch yn dymuno i'r plant weithio ar y canlynol:

Agoriad - datblygwch agoriad dramatig neu gofynnwch gwestiwn er mwyn denu'r gwrandäwr i mewn i'r stori. Gellir cofnodi hyn a'i ddefnyddio ar lafar, gan ei gadw i'w ysgrifennu'n ddiweddarach hefyd.

Cymeriadaeth - rhowch sylw i bob golygfa yn ei thro a phenderfynwch sut mae'r prif gymeriad yn teimlo. Rhaid ymarfer hyn drwy feddwl am yr hyn y maent yn ei wneud - defnyddiwch ferfau pwerus er mwyn dangos y teimladau a chofiwch ymarfer y brawddegau ar lafar.

Deialog - rhowch sylw i bob golygfa yn ei thro. Gofynnwch i'r plant greu'r ddeialog gan feddwl sut mae'r cymeriadau'n teimlo ac felly beth maen nhw'n debyg o'i ddweud. Rhaid ymarfer ar lafar i ddechrau ac yna nodwch y ddeialog. Meddyliwch am y berfau a ddefnyddir wrth gofnodi deialog yn ogystal â'r 'cyfarwyddiadau llwyfan' gan ychwanegu disgrifiad o'r hyn mae'r cymeriad yn ei wneud wrth iddynt siarad, e.e. *'Paid â hedfan yn rhy uchel,' ffromodd Daedalws wrth iddo ddringo ar sil y ffenest.*

Naws/Awyrgylch – rhowch sylw i bob rhan yn ei thro eto a phenderfynwch beth yw'r awyrgylch yn y darn hwnnw – ai tristwch, cyffro neu sefyllfa llawn gwewyr sydd yma? Rhowch gynnig ar ysgrifennu brawddegau sy'n cyfleu'r awyrgylch neu'r naws ac ychwanegwch nhw i'r stori.

Dysgu storïau

Disgrifiad - unwaith eto, rhowch sylw i bob golygfa yn ei thro. Crëwch a nodwch rai manylion disgrifiadol penodol, a meddyliwch am yr hyn sydd angen ei ddisgrifio. Ail-ddywedwch y stori eto gan ychwanegu'r elfennau disgrifiadol newydd.

Cyfyng–gyngor/Penbleth – rhowch sylw i'r foment fwyaf dramatig gan feddwl am frawddegau byrion bachog i gyfleu drama'r foment honno.

Diwedd - gwnewch yn siŵr fod y diwedd yn un effeithiol ac yn dangos beth a ddysgwyd neu sut mae'r prif gymeriad wedi newid.

Mae'n werth gwrando ar enghreifftiau'n cael eu dweud yn uchel rhwng pob rhan sydd dan sylw – nid y stori gyfan, ond yn hytrach frawddegau neu rannau penodol. Beth a ddysgir gan blant eraill? Gwnewch restr o dactegau defnyddiol a rhowch y rhain mewn man gweladwy ar siart ar y wal, neu gadewch i'r plant eu nodi yn eu dyddlyfrau ysgrifennu. Cofiwch annog y plant i ail-ddefnyddio hen strategaethau, benthycwch o storïau maent wedi eu clywed neu wedi eu darllen eisoes a gadewch iddyn nhw bigo fel piod oddi wrth y naill a'r llall.

Gwneud dweud stori yn ddigwyddiad arbennig

Mae nifer o ffyrdd 'ychwanegol' a fydd o gymorth i wneud y 'dweud' stori yn arbennig. Mae arddangosfeydd yn amlwg – ond beth am:

- **Het Storïwr** – gwisgo het ffansi ar gyfer y dweud;
- **Cadair storïwr** – cofiwch addurno'r gadair;
- **Clogyn storïwr** – clogyn melfed a sêr yn disgleirio;
- **Carped hud** – hedfan ar adenydd byd storïau;
- **Cerddoriaeth stori** – i sefydlu awyrgylch (byddai cael cryno ddisgiau o gerddoriaeth ffilmiau wrth law yn gyfleus);
- **Goleuadau stori** – siâp seren neu gilgant lleuad;
- **Bocs stori neu Fag stori** – ar gyfer pypedau neu wrthrychau cyfrinachol.

Trafod y stori

Un ffactor allweddol i gynorthwyo plant i ddeall y stori ydy trafod beth sy'n digwydd. Mae holi yn bwysig, er ni ddylid holi'n rhy drylwyr - nid prawf rhesymu llafar ydy hwn. (Gweler y llyfr *Tell Me* gan Aidan Chambers.) Dylid defnyddio'r cymal, "Dywedwch wrtha' i…" wrth holi'r plant. Gofynnwch i'r plant ddweud wrthych am yr hyn maen nhw yn ei hoffi, neu'r hyn nad ydynt yn ei hoffi, trafodwch unrhyw bos neu batrymau. Bydd y pedwar awgrym yma yn siŵr o arwain at drafodaeth agored rhwng y plant. Cofiwch ddangos diddordeb yn syniadau'r plant er mwyn modelu sut mae bod yn wrandäwr da.

Dysgu storïau

Dylid gofyn cwestiynau agored er mwyn annog atebion ymestynnol. Gofynnwch gwestiynau sy'n arwain at gasgliadau a rhesymu – efallai y gallech ofyn sut y teimlai rhywun er nad yw'n cael ei nodi'n amlwg yn y testun. Bydd gweithgaredd Y Gadair Goch / Gadair Boeth o gymorth i ddyfnhau dealltwriaeth y plant o'r stori drwy eu rhoi yn esgidiau'r gwahanol gymeriadau. Ychwanegwch ddyfnder drwy gyplysu stori lafar gyda nifer o storïau sydd wedi eu hysgrifennu.

Dweud y stori'n ddyddiol

Mae'n rhaid pwysleisio y dylid dweud y stori bob dydd yn ddi-ffael. Does dim angen rhoi gormod o sylw i'r dweud ond mae ail-ddweud y stori o'r cof yn bwysig iawn i ddatblygiad iaith y plant. Bydd y plant yn cael trafferthion os llaciwch y broses.

Ailymweld â hen ffefrynnau

O bryd i'w gilydd, mae'n werth ailymweld â storïau sydd yn hen ffefrynnau. Y syniad yw bod y plant yn casglu banc o storïau – ac ni fydd y gyntaf yn cael ei hanghofio. Erbyn i chi gyrraedd tymor yr haf, bydd gennych fanc o oddeutu 6 stori y byddwch yn eu gwybod yn dda.

Amser stori

Mae nifer o athrawon wedi dechrau cael 'Amser Stori' arbennig bob dydd ac mae wedi bod yn werthfawr iawn yn yr ysgolion hynny sy'n ceisio gwella safonau iaith. Bydd 'Amser Stori' yn para am oddeutu hanner awr ac yn cynnwys gwahanol agweddau ar y stori. Gall yr agweddau hynny gynnwys y canlynol:

- darllen y bennod nesaf o nofel ddosbarth;
- darllen llyfr lluniau newydd i'r dosbarth a'i drafod, neu stori fer;
- ailddarllen hen ffefryn;
- canu rhigwm sy'n llawn symudiadau;
- darllen cerdd newydd neu hen un boblogaidd;
- y dosbarth cyfan yn ail-ddweud hen ffefryn;
- ail-ddweud stori sydd ar ganol cael ei dysgu;
- yr athrawes yn creu stori newydd gydag awgrymiadau gan y plant.

Dysgu storïau

Cerddi a rhigymau

Yn anffodus, mae nifer o blant sydd prin yn gwybod yr un gerdd – os ydynt yn gwybod un o gwbl. Mae 'Cerdd y dydd' yn syniad syml. Bydd yr athro'n darllen cerdd unwaith yr wythnos – ac ar y dyddiau sy'n weddill, y plant fydd yn darllen cerdd. Bydd plentyn yn darllen gyda ffrind neu ar eu pennau eu hunain. Mae detholiadau Macmillan (*The Works* neu *Read Me*) yn adnodd addas ar gyfer plant. Mae *The Works Key Stage 2* (golygydd Pie Corbett) yn fanc o gerddi a gynigir fesul grŵp oedran. Cyhoeddir nifer helaeth o lyfrau barddoniaeth ardderchog gan y gweisg Cymreig hefyd.

Rhieni

Y cam amlwg nesaf mewn unrhyw ysgol yw gwneud yn siŵr bod y rhieni yn rhan o'r project dweud stori. Mae nifer o ffyrdd i'w denu. Mae gan nifer o ysgolion fanc o storïau, tapiau/CDs a sachau stori y gellir eu benthyg i'w defnyddio gartref. Gallai rhieni a gwarchodwyr gael eu denu i sesiynau cyflwyno llyfrau i blant. Rhaid gwneud hyn bob tro y daw plant newydd i'r ysgol – mae'r rhieni yn gwerthfawrogi'r cymorth hwn.

Mae modd cynnal gweithdai dweud stori hefyd lle yr addysgir y rhieni sut i ddweud storïau. Bydd y rhain yn cael eu harwain gan yr athrawon neu aelodau o'r gymuned. Ceir gwahanol storïau mewn gwahanol gymunedau ac felly bydd pawb yn cyfoethogi eu casgliad o storïau. Bydd cael casgliad o storïau y gellir gwrando arnynt ar dâp neu CD yn y car neu cyn mynd i gysgu, wedi eu recordio gan oedolyn neu blant, yn werthfawr iawn hefyd.

Dylai'r rhieni a'r gwarchodwyr wybod sut i adeiladu banc o 'storïau teulu' yn ogystal â storïau traddodiadol. Storïau am ddigwyddiadau o fewn y teulu fyddai'r rhain sef tripiau, perthnasau, a digwyddiadau o ddydd i ddydd ...*"Dywedwch yr hanes am ... ."*

Ysgol gwneud stori

Dylai ysgol gwneud stori fod yn un sy'n rhoi pwyslais mawr ar ddarllen, ysgrifennu a pherfformio – dylid sefydlu ardaloedd gwneud stori ym mhob dosbarth. Yn yr ardaloedd hynny bydd matiau hud, hetiau, clogynnau ... cadair cawr ar y buarth a man lle y gellir perfformio stori. Dylid cael mapiau stori ym mhob twll a chornel gyda phlant yn dweud storïau neu'n gwylio perfformiadau. Rhaid gwahodd grwpiau sy'n gweithio gyda phypedau a grwpiau drama i ymweld ag ysgolion yn gyson, yn ogystal â threfnu ymweliadau gan awduron. Rhaid cael arddangosfeydd o lyfrau o waith y plant yn y dosbarthiadau. Dylai projectau dyfu allan o storïau a bydd naratif yn rhywbeth byw sydd yn ganolog i fywyd pob plentyn.

Dysgu storïau

Os ydyn ni'n wirioneddol am helpu plant i ddatblygu'r modd maen nhw yn ysgrifennu storïau, yna allwn ni ddim dibrisio gwerth a phwysigrwydd darllen i'r dosbarth yn ddyddiol ac annog plant i ddarllen mwy yn eu cartrefi. Mae'n werth cofio na fydd nifer helaeth o blant byth yn clywed neb yn darllen iddyn nhw oni bai ein bod ni'n gwneud hynny. Os na chlywant iaith yn cael ei defnyddio'n soniarus yna sut yn y byd gallwn ni ddisgwyl iddyn nhw ddefnyddio iaith yn soniarus? Fel y dywedodd un athro yn Southampton wrthyf, "Dw i wedi dysgu nad yw storïau perffaith, parod yn hedfan i'r pen rywsut rhywffodd o 'nunlle."

Mae storïau yn rhoi i'r plant arfau sydd yn eu galluogi i greu eu storïau eu hunain... ac yn y pen draw, gall dweud storïau godi safonau. Fodd bynnag, y mae hefyd yn ffordd o ddatblygu'r dychymyg, gan gyflwyno diwylliant a gwerthoedd yn ogystal â datblygu'r gallu i feddwl yn haniaethol.

Pennod 2 Newid storïau

Ail gam y broses gwneud stori yw cydio mewn stori adnabyddus a gwneud ychydig o newidiadau iddi. Eich stori chi fydd hi wedyn ('datblygu' yw'r enw ar y cam hwn). Dull traddodiadol yw hwn a ddefnyddiwyd dros y canrifoedd. Dim ond tair drama wreiddiol ysgrifennodd Shakespeare – datblygiad ar storïau adnabyddus yw'r 36 drama arall.

'Datblygu' yw'r gwaith ysgrifennu yn y cynradd bron i gyd – gallwch sylwi ar y patrymau gwaelodol gan amlaf. Yn wir, os edrychaf yn ôl ar y storïau yr oeddwn yn eu hysgrifennu'n ddeg mlwydd oed, roedd yn amlwg pa lyfrau roeddwn i'n eu darllen – ym mhob stori roedd 3 phlentyn, ci o'r enw Scamp, gwyliau, ogof, trysor, dihiryn, cuddio, heddlu'n ymddangos ar y funud olaf, paned o siocled poeth a gwobr – y diwedd. Ie, datblygu ar sail storïau Enid Blyton oeddwn i!

Unwaith y dechreuwch chi sylwi ar batrymau gwaelodol mewn naratifau, byddwch yn gweld yr un patrymau gwaelodol yn ymddangos dro ar ôl tro. Mae rhai yn awgrymu mai dim ond ychydig batrymau sy'n bodoli a'u bod yn cael eu hailgylchu'n gyson. Dywed Christopher Hampton yn ei lyfr 'The Seven Basic Plots' fod y patrymau gwaelodol yma wedi eu cyfyngu i saith mewn nifer. Trafodir hyn ymhellach yn y drydedd bennod ar 'greu'.

Dylid cofio bod y syniad o 'ddatblygu' wedi ei seilio ar y ffordd mae plant yn dysgu iaith. Ar y dechrau bydd plant yn dynwared patrymau'r synau y maent yn eu clywed yn cael eu hailadrodd a hynny mewn gwahanol gyd-destunau. Bydd y plant yn cael eu gwobrwyo drwy ganmoliaeth eu rhieni a byddant yn fwy na bodlon i ail-ddweud y 'gair' eto. Wrth i'r plant adeiladu geirfa bydd y 'datblygu' yn ymddangos fwyfwy. Pan yw'r plant yn dangos y 'datblygu' hwn gwelwn dyfiant ieithyddol – mae'r ymennydd wedi cyffredinoli'r egwyddor ac mae'n ceisio'i gymhwyso i sefyllfaoedd newydd.

Mae'n bwysig i ni ein hatgoffa'n hunain na ddylem symud i'r 'datblygu' nes bod y plant wedi mewnoli'r stori yn ddwfn yn eu cof gweithredol tymor hir. Rhaid i'r plant allu ail-ddweud y stori yn annibynnol. Os ewch chi ati'n rhy gyflym bydd y canlyniadau'n siomedig. Rhaid i athrawon wylio rhag symud ar wib heb boeni a yw'r plant wedi dysgu unrhyw beth ai peidio, a hynny er mwyn cyflawni gofynion y cwricwlwm. Mae'r 'ysgolion dweud stori' wedi dysgu bod arafu'r dysgu drwy ailadrodd llawn dychymyg yn ffordd gadarnach o sicrhau cynnydd pendant. Pan yw'r plant yn grewyr stori profiadol, efallai mai dim ond clywed stori adnabyddus nifer o weithiau fydd ei angen arnynt cyn iddynt ddechrau datblygu eu fersiwn hwy eu hunain.

Mae 'datblygu' yn anoddach na 'dynwared' – ar y dechrau! Mae'n gam sydd yn rhaid ei ddysgu; ... mae ansawdd 'datblygiadau' y plant yn adlewyrchiad uniongyrchol o sgiliau 'datblygu' yr athro. Mae 5 ffurf posib ar 'ddatblygu' – ac mae'r rhain yn gymysg yn aml:

Newid storïau

1. **amnewid** – gwneud newidiadau syml;
2. **ychwanegu** – ail-ddweud yr un stori ond gan ychwanegu mwy ati. Gellir newid bob stori bron, hyd at ofynion lefel 5;
3. **addasu** – ail-ddweud yr un stori ond gan wneud newidiadau arwyddocaol sydd â'r un goblygiadau;
4. **newid safbwynt** – ail-ddweud y stori ond o ongl wahanol;
5. **ailgylchu'r plot** – ailddefnyddio'r plot a'r thema waelodol ond mewn cyd-destun hollol wahanol.

Mae'r pum cam yma'n hierarchaidd – hynny yw, maent yn datblygu'n raddol o ran eu soffistigeiddrwydd. Bydd y mwyafrif o blant is eu gallu Blwyddyn 3 yn gallu amnewid mewn modd syml, ond erbyn diwedd y flwyddyn byddant yn gallu ychwanegu rhai disgrifiadau a digwyddiadau ychwanegol.

Fodd bynnag, bydd dosbarth Blwyddyn 3 hyderus yn debygol o allu newid digwyddiadau, gan ychwanegu llawer mwy o ddisgrifiadau a hyd yn oed ail-ddweud stori o safbwynt cymeriad arall. Efallai'n wir y byddant yn gallu ailddefnyddio plot gwaelodol un stori a chreu stori hollol newydd.

Mae hyn yn gwneud gwahaniaethu'n haws. Bydd rhai plant ym Mlwyddyn 3 yn ail-ddweud gan wneud ychydig o amnewidiadau syml tra bo eraill yn debyg o newid manylion neu wneud newidiadau arwyddocaol. Yr hyn sy'n hanfodol yw bod yr athro yn sicrhau, yn y pen draw, fod cyfansoddiadau'r plant yn cael eu cefnogi gan y dweud gwreiddiol, ond ar yr un pryd yn caniatáu cynnydd yn eu gwaith. Dylai plentyn hyderus ym Mlwyddyn 3 fod yn gwneud mwy nag amnewidiad syml! Rhestrir y pum categori isod:

1. Amnewidiadau

Dyma'r dull hawsaf o 'ddatblygu'. Gall ychydig o newidiadau syml roi teimlad o berchnogaeth a llwyddiant i'r plentyn ieuengaf a'r lleiaf hyderus. I'r rhai hynny sy'n dysgu'r Gymraeg a'r Saesneg, mae amnewid yn cynnig ffordd syml o ddefnyddio geirfa newydd o fewn brawddegau.

Fel arfer, mae lleoliadau, cymeriadau ac enwau yn cael eu hamnewid. Gair o rybudd – bydd rhai plant yn cael eu temtio i amnewid gormod ar y plot ac yna byddant yn ei chael hi'n anodd dwyn i gof yr holl newidiadau; yn llythrennol, mae popeth yn mynd ar chwâl! Efallai ei bod hi'n werth cyfyngu'r amnewidiadau neu symud cam wrth gam er mwyn sicrhau llwyddiant. Modelwch sut i newid stori drwy ail-wneud y map stori neu drwy newid map stori'r dosbarth gan ddefnyddio hwn ar gyfer dweud y fersiwn newydd.

Felly, gall amnewidiad syml o stori *'Little Charlie'* (Charlie Bach) ddechrau fel hyn:

Newid storïau

Un tro roedd geneth fach o'r enw Josie yn byw wrth ymyl coedwig fawr.

Yn gynnar un bore dyma ei thad yn ei deffro ac yn dweud, "Cer â'r bag o bethau neis yma i dŷ dy Fodryb."
Yn y bag, rhoddodd - fanana aeddfed, darn o gacen siocled ac afal....

2. Ychwanegiadau

Mae cynnwys ychwanegiadau yn dod yn naturiol gan amlaf. Wrth ail-ddweud stori, bydd plant yn aml yn dechrau ychwanegu ati yn yr un modd âg y byddant wrth sgwrsio – wrth sôn am bethau sydd wedi digwydd iddynt mewn sgwrs, byddant yn addurno a chwyddo'r dweud ar gyfer y gynulleidfa ... ac o'r herwydd mae'r stori'n tyfu wrth iddi gael ei hadrodd...

Y dull hawsaf o symud i gyfeiriad ychwanegiadau yw drwy ychwanegu mwy o ddisgrifiadau, e.e.

Yn gynnar un bore rhewllyd dyma Charlie yn deffro. Rhedodd at y ffenest a syllu allan ar yr eira ar y ffyrdd ....

Gallech adeiladu ar hyn drwy:

- ychwanegu deialog;
- ychwanegu cymeriad newydd;
- ychwanegu digwyddiadau newydd.

Fel arfer, byddwch yn gweld eich bod nid yn unig yn ychwanegu digwyddiadau newydd neu ddisgrifiadau ond eich bod yn gwneud amnewidiadau hefyd. Daliwch ati i ddangos sut i ychwanegu, chwyddo ac addurno.

Wrth i'r plant ddod yn fwy profiadol, rhowch fwy o sylw i addurno, datblygu a mireinio eu stori. Gwnewch hyn drwy weithio ar y prif olygfeydd a'u trosglwyddo i siart llif syml. Yna gweithiwch gan sylwi'n ofalus ar wahanol elfennau o'r stori ac ail-ddweud rhannau wrth eu dweud. Defnyddiwch siart syml i gofnodi syniadau wrth iddynt gael eu datblygu ar lafar:

Golygfa	Deialog
Jac yn cyfarfod gwraig y Cawr	"A phwy wyt ti?" gofynnodd gwraig y Cawr, wrth iddi wyro i lawr i syllu ar Jac.

Newid storïau

Gallech roi sylw i:

Agoriad – datblygwch agoriad dramatig gan ddechrau trwy ofyn cwestiwn er mwyn denu'r gwrandäwr i mewn i'r stori.

Cymeriadaeth – rhowch sylw i bob golygfa yn ei thro gan benderfynu sut mae'r prif gymeriad yn teimlo.

Deialog – rhowch sylw i bob golygfa yn ei thro. Gofynnwch i'r plant greu'r ddeialog gan feddwl sut mae'r cymeriadau'n teimlo a beth y byddent yn debygol o'i ddweud.

Naws/Awyrgylch – rhowch gynnig ar greu brawddegau fyddai'n creu naws ac awyrgylch a gosodwch nhw yn y stori.

Disgrifiad – crëwch a nodwch rai manylion disgrifiadol penodol gan feddwl am yr hyn sydd angen ei ddisgrifio.

Cyfyng–gyngor/Penbleth – rhowch sylw i'r foment fwyaf dramatig gan feddwl am frawddegau byrion bachog i gyfleu drama'r foment honno.

Diwedd – gwnewch yn siŵr fod y diwedd yn un effeithiol ac yn un sy'n dangos beth a ddysgwyd neu'r modd mae'r prif gymeriad wedi newid.

3. Addasu

Wrth gwrs, mae amnewid yn debyg iawn i addasu. Fodd bynnag, nid yw amnewidiadau syml yn effeithio fawr ddim ar beth sy'n digwydd nesaf na'r canlyniadau. Mae addasu yn golygu newidiadau arwyddocaol sy'n newid cyfeiriad stori – mae addasu yn achosi effeithiau di-ben-draw!

Mae'n werth dechrau drwy wneud ychydig o waith addasu o fewn y stori – mae hyn yn rhoi cysur cyffredinol y stori wreiddiol i'r plant, mae'n ffrâm ysgrifennu enfawr, ac mae'n cynnig strwythur iddynt y gallant gadw trefn arni. Rhowch gynnig ar addasu:

- natur un neu fwy o'r cymeriadau, e.e. mae'r Cawr ofn uchder;
- lleoliad, e.e. rhowch Jac i fyw ar ystâd fodern.

Mae llawer o athrawon yn hoffi addasu diwedd stori achos mae'r plant yn ei chael hi'n anodd ysgrifennu diwedd storïau. Mae meddwl am ffyrdd newydd o orffen stori, a throi'r stori i wahanol gyfeiriadau o gymorth i'r plant gasglu stôr o bosibiliadau i dynnu oddi arnynt pan fyddant yn creu. Felly gall athrawon ganolbwyntio ar:

- addasu'r ffordd mae stori yn agor ac yn diweddu;
- addasu'r ddeialog;

Newid storïau

- adeiladu cyffro dramatig;
- ymarfer symudiadau;
- datblygu'r datrysiad;
- ystyried y modd mae cymeriad yn newid o gam i gam yn y stori;
- dangos sut mae cymeriad yn teimlo drwy ei ymddygiad neu drwy'r modd y mae'n siarad.

Ffordd gyffredin arall yw addasu digwyddiad allweddol o fewn stori ac ychwanegu rhai newydd iddi o ganlyniad i hynny. Dw i'n cofio clywed geneth ddyflwydd oed yn ail-ddweud stori'r Bachgen Bach Toes gan sôn amdano'n cael ei ddal gan eneth o'r enw Gretel ac yn cael ei fwyta! Dyma enghraifft hyfryd o un stori yn arwain at stori arall – ond lle cafwyd syndod ymhlith y cymeriadau eraill oedd yn rhedeg ar ôl y bachgen bach toes!

4. Newid safbwynt

Mae newid safbwynt yn llawer mwy soffistigedig nag ail-ddweud sylfaenol gydag ychwanegiadau a newidiadau. Mae'n rhaid i'r plant allu gweld y stori o ongl arall i wneud hyn. Bydd gwaith drama a llawer o fodelu o du'r athro yn help i'r plant wneud newidiadau o ran safbwynt. Mae dwy ffordd o wneud hyn:

- ail-ddweud stori o safbwynt cymeriad arall;
- ail-ddweud stori ar ffurf wahanol ar ysgrifennu, e.e. dyddiadur, llythyr neu adroddiad papur newydd.

Mae gweld pethau o safbwynt arall yn cael ei hybu drwy weithgareddau fel y Gadair Boeth/y Gadair Goch. Cymorth mawr i'r plant yw i'r athro ysgrifennu neu siarad gan gymryd arno mai ef/hi yw'r cymeriad gan ddweud beth sydd wedi digwydd. Bydd darparu cyfleoedd i chwarae rôl yn rhoi cyfle i'r plant i actio a chamu i wahanol rannau. Ceir boddhad mawr o glywed plant yn ail-ddweud stori o safbwynt cymeriad arall, e.e. Gwraig y Cawr, y Cawr, Mam Jac, Jac ac un o'r pentrefwyr.

5. Ailgylchu'r plot gwreiddiol

Yn olaf fe ddown at y syniad o ailddefnyddio'r patrwm gwaelodol yn unig, y plot neu'r thema, ac ailysgrifennu'r stori yn llwyr. Felly, stori yw 'Y Bachgen Bach Toes' am droseddwr neu genau bach drwg a chriw yn rhedeg ar ei ôl cyn iddo gael ei haeddiant yn y diwedd. Stori am daith neu siwrnai yw'r 'Tri Bili-Bwch Gafr' sydd â rhwystr i'w oresgyn. Stori am rywun sy'n mynd i fan gwaharddedig yw 'Elen Benfelen a'r Tair Arth' ac mae hi'n torri, difetha neu ddwyn rhywbeth gwerthfawr cyn wynebu'r 'perchennog' neu'r gwarchodwr. Stori am rywun yn torri i mewn i adeilad ydi hi a gellid ei hysgrifennu fel stori ysbïo. Mae Charlie Bach wedi ei seilio ar batrwm gwaelodol *Lord of the Rings* a gellid ei hailysgrifennu fel stori wedi ei gosod yn y gofod gyda Chapten Zarg yn mynd â chyflenwad o foddion meddygol a neges gyfrinachol i blaned Tharg ....

Mae ailddefnyddio'r plot sylfaenol yn golygu eich bod yn dechrau gyda stori draddodiadol, ond ei bod yn cael ei hailosod ym myd gwyddoniaeth ffuglennol, ditectif neu unrhyw *genre* arall. Mae'r stori wreiddiol yn rhoi patrwm y plot a'r thema yn unig.

O'r dweud i'r ysgrifennu

Peidiwch ag ystyried gofyn i'r plant ysgrifennu nes y bydd ganddynt stori i'w dweud. Bydd llawer yn aflwyddiannus os gofynnwch iddynt greu stori yn fyrfyfyr tra'u bod wrthi'n ysgrifennu ... bydd paratoi trylwyr yn sicrhau llwyddiant, datblygiad a chymhelliant. Bydd pawb yn dechrau gydag amnewidiad ar lafar - bydd rhai yn camu ymhellach. Gwelir isod fap bras sy'n rhoi syniad o rediad y broses gwneud stori gan gofio y bydd amrywiadau yn siŵr o ddod i'r amlwg wrth fynd ati i wneud y gwaith.

'Datblygu' - Y Broses

1.   Dweud y stori newydd gyda symudiadau.
2.   Tynnu llun o fap stori neu fwrdd stori.

3.   Ail-ddweud y stori'n ddyddiol.

4.   Symud ymlaen i weithio mewn cylchoedd stori neu fel parau neu ddosbarth cyfan.
5.   Unwaith y bydd y plant wedi mewnoli'r stori i'w cof tymor hir, mae'n amser dechrau'r 'datblygu'.
6.   Gweithio ar wahanol agweddau ar y stori, darn wrth ddarn, e.e. gan ychwanegu disgrifiadau.
7.   Daliwch ati i ail-ddweud y fersiwn newydd gan ychwanegu elfennau newydd.

8.   Yr athro'n arwain y plant tra bônt yn creu eu 'datblygiad newydd'.

Newid storïau

9. Y plant yn tynnu llun eu map newydd ac yn ail-ddweud eu 'datblygiad'.

10. Yr athro'n arddangos ysgrifennu ar y cyd gan ddefnyddio 'datblygiad' y dosbarth, ac yn tynnu ar y darllen hefyd.
11. Y plant yn ysgrifennu neu'n cofnodi eu 'datblygiad' eu hunain.
12. Rhoi sglein a chyhoeddi'r storïau.

Mae'r broses hon yn sicrhau llwyddiant. Mae'r plant yn mynd ati i ysgrifennu pan fydd ganddynt rywbeth gwerth chweil i'w ddweud. Yn aml pan ofynnir i'r plant ysgrifennu maent yn cael trafferth achos bod gormod yn mynnu sylw gan eu meddyliau. Mae'n rhaid iddynt roi trefn ar gymaint o bethau – y gripiwr pensil, y sillafu, ble'n union y dylid gosod y dot ... heb sôn am beth i'w ddweud. Os nad yw rhai o'r prosesau ysgrifennu yn hawdd ac yn awtomatig, mae'r ymennydd yn cael ei orlwytho ac mae diffyg gofod gwybyddol ar gyfer cyfansoddi. Bydd ysgrifenwyr gwan yn poeni am eu llawysgrifen a'u sillafu ac mae hyn yn ymyrryd ac yn rhwystro'r gallu i gyfansoddi – yn wir, mae ysgrifennu yn broses lafurus, boenus a diflas. Does ryfedd yn y byd bod cynifer yn dechrau mynd yn aflonydd ac yn chwarae'n wirion!

Fodd bynnag, os eisteddwch i lawr ac y mae gennych stori go iawn i'w dweud, nid yn unig bydd y plentyn wedi ei sbarduno i ysgrifennu ond bydd yn ei chael yn haws ysgrifennu oherwydd bod lle gwybodol enfawr wedi ei ryddhau yn y meddwl.

Mae hyn yn swnio'n fêl i gyd ... rydym wedi bod yn rhoi llawer o ymdrech i ddatblygu ochr greadigol ysgrifennu a chyfansoddi, ond beth am y sgiliau trawsgrifiadol? Rhaid rhoi sylw i'r rhain hefyd a'u datblygu.

- Llawysgrifen – rhaid gwneud llawer o waith ar sgiliau mân a sgiliau symud sy'n arwain at ymarfer llawysgrifen yn gyson – dylai plant bach wneud hyn yn ddyddiol.
- Sillafu – ymarfer ffoneg a gwaith sillafu yn ddyddiol.
- Brawddegau – gemau brawddegau dyddiol er mwyn datblygu'r gallu i gyfansoddi a thrin a thrafod brawddegau. Dw i wedi disgrifio gemau sillafu a chreu brawddegau yn 'Jumpstart Literacy' a gyhoeddwyd gan David Fulton. Rhaid pwysleisio pwysigrwydd ymarfer dweud ac ysgrifennu brawddegau yn chwim, yn rhugl ac yn gywir. Mae'r frawddeg yn hanfodol ar gyfer ysgrifennu – mae cyn bwysiced â'r gallu i gicio pêl mewn gêm bêl-droed. Os nad ydy'r plant yn gallu ysgrifennu brawddegau, yna ni allant ysgrifennu testun cyfan – a gall ymarfer dyddiol dalu ar ei ganfed. Mae defnyddio gemau sy'n 'datblygu' er mwyn ymarfer gwahanol fathau o frawddegau a nodweddion ieithyddol yn siŵr o'u helpu i wella eu hysgrifennu.

Yn yr un modd ag y mae'r athro, ar ddechrau'r broses gwneud stori, yn gorfod adnabod y sillafiadau allweddol y bydd eu hangen ar y plant i ysgrifennu'r stori a'u

Newid storïau

darparu a'u hymarfer, mae'n rhaid meddwl hefyd am y mathau o frawddegau y bydd eu hangen arnynt yn y pen draw.

Bydd y brawddegau hyn yn cael eu hymarfer yn ddyddiol fel bod y weithred o ysgrifennu yn haws i'r plant pan ddaw hi'n amser i gofnodi'r stori – byddant wedi cael eu paratoi'n dda. Efallai bydd hyn yn golygu ymarfer brawddegau 'ac yn sydyn', brawddegau 'un tro' neu 'brawddegau'n dechrau gydag adferfau' ac yn y blaen. Yn sicr, mae'n werth ymarfer creu brawddegau gan ddefnyddio gwahanol gysyllteiriau sydd yn amrywio dechrau brawddegau yn ogystal â gwahanol fathau o frawddegau eraill.

Os nad yw plant wedi clywed sut mae cysylltair yn cael ei ddefnyddio mewn brawddeg, yna does dim gobaith iddyn nhw wneud hyn drwy ryw ryfedd wyrth, ar eu pennau eu hunain. Mae'n rhaid iddynt arfer â 'chlywed' sut mae brawddeg gymhleth yn gweithio gan 'ddweud' neu lefaru enghreifftiau … yn ogystal â'u darllen a'u hysgrifennu. Ond rhaid i'r 'clywed' a'r 'dweud' ddod yn gyntaf.

Mae ambell stori yn cynnig mathau o frawddegau amlwg y gellir eu hymarfer. Ond pwyllwch i ystyried beth allai gynorthwyo'r plant i ddatblygu – ym Mlwyddyn 3 bydd yn rhaid iddynt ddechrau amrywio brawddegau, ymdrin â brawddegau cymhleth a chyfansawdd gan ddefnyddio amrywiaeth o gysyllteiriau. Rhaid iddynt amrywio dechrau eu storïau, defnyddio geirfa ddiddorol … ac mae'n rhaid wrth ymarfer dyddiol.

Os yw plant yn ansicr yna mae'n rhaid i chi fodelu ar lafar ac yna wrth ysgrifennu – dangoswch iddynt beth i'w wneud yn gyntaf gan ofyn wedyn am gyfraniadau. Unwaith y byddant yn dod yn hyderus, gallant roi cynnig ar ysgrifennu ar eu byrddau gwyn. Cofnodwch y brawddegau da yn eu dyddlyfrau ysgrifennu.

Os edrychwch yn yr atodiadau, fe welwch y 'Banc Iaith' sy'n dynodi'r agweddau hynny ar iaith, megis cysyllteiriau a phatrymau brawddegol amrywiol y dylid eu dysgu ym mhob blwyddyn. Gellir plannu'r rhain i'r storïau y byddwch yn gweithio arnyn nhw, ond rhaid eu hymarfer yn aml.

Dechreuwch sesiynau gyda gemau sillafu, a dilynwch y rhain gyda gemau brawddegau. Rhaid trefnu hyn yn ofalus, neu byddant yn llyncu tolc o'r sesiwn addysgu. Gellir chwarae'r rhan fwyaf o'r gemau ar lafar, er byddwch am ddefnyddio'u byrddau gwynion gyda'r plant mwyaf hyderus. Mae rhai o'r gemau yn addas i'w defnyddio ar ffurf stribedi o gerdyn yn cynnwys geiriau a darnau o frawddegau er mwyn gwneud y gêm yn fwy cyffyrddol a gweledol – yn debyg i linell olchi mathemateg. Gallwch hefyd ddefnyddio bwrdd gwyn rhyngweithiol. Dyma rai o'r prif gemau – mae'n siŵr y bydd gennych rai eraill wrth law.

Newid storïau

■ *Yr Adeiladwr Brawddegau*

Yn y gêm hon byddwch yn rhoi gair i'r plentyn ac mae'r plant yn gorfod gwneud brawddeg gan ddefnyddio'r gair hwnnw, e.e. ci – *Mae'r ci yn rhedeg o le i le*. Unwaith y byddant yn gwneud hyn yn hyderus, rhowch ddau air iddynt, e.e. *neidiodd/cath – Neidiodd y gath ddrwg ar y bwrdd*. Erbyn y diwedd efallai y bydd y plant yn medru defnyddio tri gair mewn brawddeg ac ychwanegu cysyllteiriau, e.e. *ci/cyfarth/achos - Roedd y ci yn cyfarth achos bod y gath wedi dwyn ei asgwrn*.

Os nad yw'r plant yn gallu cyfansoddi brawddeg yn gyflym yna ni fyddant yn gallu creu testunau cyfan, felly mae hon yn sgil bwysig. Gwnewch y gwaith yma ar lafar ac yn ysgrifenedig. Wrth i chi greu brawddegau ar lafar gofynnwch i'r plant roi'r atalnodi yn y mannau cywir gan ddefnyddio synau a symudiadau. Mae hyn yn dangos i chi bod y plant yn gwybod bod angen atalnod llawn – dyma ffordd wych o'u haddysgu a'u hatgoffa. Byddwch yn ddidostur a mynnwch gael atalnodau llawn o'r dechrau ar lafar ac wrth ysgrifennu - rhowch y peli pêl-droed yn eu lle!

■ *Brawddegau diflas*

Byddwch angen brawddeg ddiflas (neu baragraff ar gyfer y plant mwyaf hyderus) a bydd yn rhaid i'r plant wella'r gwaith yma. Gall y plant wneud hyn mewn nifer o ffyrdd. Ystyriwch y frawddeg:

Aeth y ci i lawr y lôn.

Ni thynnir darlun pwerus iawn ym meddwl y darllenydd gan y frawddeg hon a gellir ei gwella. Gallech:

1. newid geiriau – *Rhedodd y corgi i lawr y stryd fawr.*
2. ychwanegu geiriau yng nghanol y frawddeg – *Aeth y ci blewog i lawr y lôn unig.*
3. ychwanegu geiriau i'r frawddeg - *Aeth y ci blewog i lawr y lôn oherwydd bod y gath wedi brathu ei gynffon.*

Cofiwch y canlynol:

■ gochelwch rhag enwau gwan a berfau gwan ('colomen' nid 'aderyn');
■ peidiwch â defnyddio ansoddeiriau'n unig – casglwch lond sach o adferfau a'u defnyddio;
■ ychwanegwch gysylltair ar ddiwedd brawddeg, e.e. *Aeth y ci blewog i lawr y lôn oherwydd* ... a gofynnwch i'r plant hynny sy'n ysgrifenwyr aeddfed i ychwanegu'r rhain ar ddechrau brawddeg, e.e. *Am fod rhywun wedi torri i mewn i'r siop anifeiliaid anwes, aeth y ci blewog i lawr y lôn... .*

Newid storïau

Mae'n werth cyflwyno'r plant hefyd i'r modd y defnyddir:

- cyflythreniad - ail-ddweud sŵn sy'n agos at un arall – *Moriodd Morys y morfil ar y môr...*
- cymhariaeth gan ddefnyddio 'fel' – *mae brocoli fel mwsogl;*
- cymhariaeth gan ddefnyddio 'mor _____ â/ag' - *mor denau â blewyn.*

■ *Y Doctor Brawddegau*

Gêm chwilio am gamgymeriadau yw hon. Chwiliwch am gamgymeriadau sy'n ymddangos yn aml yng ngwaith y plant er mwyn iddynt arfer â gweld y mathau o gamgymeriadau y maent yn eu gwneud yn aml – yna gallant ymateb yn syml i waith partner yn ogystal â chwilio am eu camgymeriadau nhw eu hunain ac am ffyrdd i wella eu gwaith. Ysgrifennwch y brawddegau sydd â chamgymeriadau ynddynt – sillafiadau, geiriau coll, camgymeriadau wrth atalnodi, newid amser y ferf yn ddiangen, camddefnyddio rhagenwau, treigladau. a.y.b.

■ *Rhoi geiriau i mewn*

Gall hyn ddod yn rhan syml o drefn 'rhoi sglein' ar waith (golygu) - byddant yn dod i arfer ag ailddarllen eu gwaith er mwyn dod o hyd i fannau lle y gallant 'roi geiriau i mewn' yn eu brawddegau. Y gêm yw darparu brawddeg ar eu cyfer ac yna byddant hwy yn rhoi geiriau i mewn ynddi. Cofiwch annog y plant i ddefnyddio adferfau yn ogystal ag ansoddeiriau. Ond, gwyliwch rhag i'r plant orddefnyddio ansoddeiriau oherwydd gall hyn wneud eu gwaith yn waeth!

Gallwch chwarae gêm o'r enw 'byrhau'r frawddeg'– pan fyddwch yn rhoi brawddeg sydd wedi ei gorlwytho i'r plant i'w byrhau – neu gêm 'ymestyn brawddeg' gan roi brawddeg fer iddynt i'w hymestyn!

■ *Rhowch nhw at ei gilydd*

Dyma gêm bwysig iawn ac mae'n werth ei chwarae nifer o weithiau ym Mlwyddyn 3. Y syniad yw rhoi dwy frawddeg fer, syml sy'n perthyn i'r naill a'r llall yn gronolegol. Yna, bydd rhaid i'r plant eu huno gyda chysylltair (nid 'a/ac' na 'wedyn' - gwyddom fod y plant yn gallu defnyddio'r rhai hynny eisoes!).

Agorodd y drws.
Daeth y dywysoges allan.

Yn awr mae'n rhaid i'r plant wneud un frawddeg gan ddefnyddio cysylltair naill ai rhwng y ddwy frawddeg neu o flaen y frawddeg, e.e.

Newid storïau

Wrth i'r drws agor, daeth y dywysoges allan.
Agorodd y drws wrth i'r dywysoges ddod allan.

Dyma eiriau eraill y gellid eu defnyddio yma:

Cyn, wrth i'r, cyn gynted ag, ar ôl, tra, er, pan, felly, oherwydd, ond, yn sydyn.

■ Dynwared

Wrth chwarae'r gêm hon rydych yn modelu'r math o frawddeg y byddwch am i'r plant ei defnyddio; yna mae'n rhaid iddyn nhw 'ddatblygu'r' patrwm hwnnw. Er enghraifft, efallai y byddwch yn dangos i blant Blwyddyn 3 sut i ddefnyddio adferfau ar ddechrau brawddeg – *Yn araf, llusgodd ymlaen*. Defnyddiwch sachaid o adferfau er mwyn iddynt greu eu hadferfau eu hunain i ddechrau brawddeg.

■ Atalnodi storïau

Mae cofio rhoi atalnod llawn yn gallu bod yn anodd. Wedi'r cyfan, wrth i ni siarad a darllen, nid yw marciau'r atalnodi yn gwneud smic o sŵn! Nid yw atalnodi yn gwneud dim sy'n gofiadwy. Os oes gennych nifer o blant sy'n cael trafferth, y ffordd fwyaf effeithiol yw cyflwyno tacteg 'atalnodi + sŵn'. Dysgwch nifer o storïau yn y ffordd arferol ond ychwanegwch sŵn a symudiad pan welwch ffurf ar atalnodi. Mae hyn yn hwyl ac yn bwysicach na hynny mae'n gwneud yr atalnodi'n gofiadwy. Fe welwch eu bod yn fwy tebygol o ddefnyddio atalnodi wrth ysgrifennu'r stori. Rhowch gynnig ar hyn - mae'n gweithio'n ddi-ffael! Rhowch gynnig hefyd ar gêm lle y byddwch chi yn darllen brawddegau gan ychwanegu'r synau a'r symudiadau ar gyfer yr atalnodi.

■ Y sylw olaf am frawddegau

Mae llawer o blant yn ei chael hi'n anodd siarad ac ysgrifennu mewn brawddegau llawn oherwydd nad ydynt wedi cael digon o brofiad o glywed a dweud brawddegau. Mae'n hanfodol bod hyn yn cael ei ddatrys mewn modd cwbl bendant; os nad yw'r ymennydd yn caffael patrymau brawddegol o oedran cynnar, gall fynd yn rhy hwyr, ac mewn ambell i achos difrifol o amddifadedd, mae rhai plant na fyddant byth yn meistroli cystrawen. Mae plant yn caffael cystrawennau brawddegol drwy i eraill fodelu'r cystrawennau iddynt, trwy adlewyrchu ac ymestyn ymatebion y plant – ac wrth gwrs, trwy ddigon o ddarllen, cyfansoddi, chwarae a siarad.

Newid storïau

Modelu ysgrifennu

Mae llawer o blant yn gallu dysgu stori ar lafar drwy ddynwared; felly hefyd mae rhai plant yn dysgu ysgrifennu drwy ddynwared. Dylid manteisio ar bob cyfle i fodelu ysgrifennu. Mae'n rhaid i ni ddangos i blant sut i gynllunio, ysgrifennu ac yna olygu neu roi sglein ar eu hysgrifennu gan wneud gwelliannau syml a sicrhau bod y gwaith yn fanwl gywir.

Yn sicr, cyn i'r plant ysgrifennu eu stori, bydd yr athro yn ysgrifennu 'datblygiad' y dosbarth o flaen y plant. Amlygir sawl agwedd ar addysgu drwy ddefnyddio'r strategaeth hon – o lawysgrifen, sillafu ac atalnodi at ddefnyddio geiriau da. Pan fydd yr athro yn 'modelu' neu'n 'arddangos', mae'n werth ceisio rhoi sylwebaeth ar bob cam gan egluro'r hyn yr ydych chi'n ei wneud. Er enghraifft, mae'n bwysig i chi ddangos sut i:

■ ddweud y frawddeg wrthych chi eich hun (ymarfer);
■ fynd ati i'w hysgrifennu;
■ ailddarllen yr hyn yr ydych wedi ei ysgrifennu.

Mae ailddarllen yn bwysig am dri rheswm. Yn gyntaf, oherwydd bod yn rhaid i chi wirio'r hyn yr ydych wedi ei ysgrifennu. Yn ail, mae'n rhoi'r cyswllt i chi i fynd ati i ysgrifennu'r frawddeg fydd yn dilyn. Yn olaf, efallai y bydd yr ysgrifenwyr mwyaf aeddfed yn meddwl am ffyrdd o wella neu roi sglein ar yr hyn sydd wedi cael ei ysgrifennu, gan ychwanegu neu newid rhai geiriau, er enghraifft. Gwnewch hi'n amlwg pan fyddwch yn cyfeirio at restrau o eiriau neu'n defnyddio geiriau neu frawddegau penodol yr ydych wedi bod yn eu hymarfer. Prif nod 'modelu' neu 'arddangos' yw dangos:

■ pethau newydd, e.e. math newydd o destun;
■ pethau sy'n anodd, e.e. deialog;
■ cynnydd – pethau sydd, os yw'r plant yn eu defnyddio, yn eu galluogi i ddangos gwelliant, e.e. defnyddio amrywiaeth o gysyllteiriau.

Wrth i chi fynd ati i fodelu mae'n bwysig i chi fod yn gwybod yn union yr hyn yr ydych chi yn mynd i'w arddangos – yr agwedd ar y datblygiad hwnnw yr ydych am ei phwysleisio wrth addysgu'r plant.

Ysgrifennu ar y cyd

Wrth ysgrifennu ar y cyd bydd plant yn ymuno yn yr ysgrifennu - y gwir amdani yw mai chi, yn aml, fydd yn penderfynu beth sy'n digwydd, ac eto bydd plant ifanc eisiau cynnig awgrymiadau. Daliwch ati i herio a chynnal y cyflymdra. Gwelais sesiynau ysgrifennu difrifol o ddiflas ac araf gyda nifer o frawddegau'n cael eu hysgrifennu ar y bwrdd gwyn/du a phob llythyren o bob gair yn cael ei seinio fesul un yn uchel. Gadawodd y plant y sesiwn ac ysgrifennu nifer o dudalennau! Mae'n drueni os nad yw'r athro'n gallu ysgrifennu cystal â'r plant!

Dylai'r hyn sydd yn ymddangos ar y bwrdd du/gwyn fod ychydig yn uwch na'r lefel mae'r plant arni ar y pryd. Os ydy'r mwyafrif o'r plant ar lefel 3 – yna mae'n rhaid i chi arddangos lefel 4.

Mae'n werth i chi ysgrifennu storïau cyfan – nid agoriadau yn unig. Dylai plant gael gweld pob agwedd ar stori yn cael ei modelu. Bydd athrawon yn ymestyn stori dros gyfnod o wythnos er mwyn i'r plant roi sylw i ran neu olygfa wahanol bob dydd. Cofiwch, fe allwch liwio stori lafar yn ddisgrifiadol wrth ddechrau ei hysgrifennu.

Dyddlyfrau ysgrifennu

Mae dyddlyfrau ysgrifennu yn adnodd defnyddiol iawn ar gyfer plant. Bydd y dyddlyfrau yn cynnwys pob nodyn atgoffa, rhestr a model defnyddiol a ddefnyddiwn gyda'r plant. Efallai y bydd yn cynnwys pethau megis 'geiriau i'w defnyddio yn lle 'meddai'' yn ogystal â mapiau stori, rhestrau o sillafiadau ar gyfer storïau penodol, neu destunau ffeithiol. Er enghraifft, o dan y pennawd 'adroddiadau' efallai bydd rhestr ddefnyddiol o gysyllteiriau megis 'yn gyntaf, yna, wedyn, ar ôl hynny, yn olaf'.

Gallai'r plant ddod i'r arfer o sylwi, wrth ddarllen, ar eiriau neu dactegau defnyddiol a gallant eu benthyg a'u defnyddio wrth iddyn nhw ysgrifennu neu ddweud stori. Felly, mae'r syniad o 'ysgrifenwyr yn lladron' yn gwneud synnwyr – bydd y plant yn ymwybodol o'r modd mae ysgrifenwyr yn creu effeithiau ac yna byddant yn ail-ddefnyddio'r un strategaethau.

Pennod 3 Gwneud storïau

Y drydedd agwedd ar wneud stori yw cael y plant i wneud storïau ar eu pennau eu hunain. Yn aml, 'creu' yw'r enw ar hyn. I wneud hyn, wrth gwrs, bydd y plant yn tynnu ar eu banc o storïau yn ogystal â'u profiad cyffredinol o fywyd, sef yr hyn sydd wedi digwydd iddyn nhw, a'r storïau maent wedi eu gweld a'u darllen, ac unrhyw syniadau newydd a ddaw o'u pennau nhw eu hunain - posibiliadau newydd.

Gellir symud i gyfnod penodol y 'datblygu' wrth i'r plant adeiladu banc o storïau maent yn eu gwybod. Yn sicr, unwaith y bydd nifer o storïau wedi cael eu dysgu gallwch ddechrau creu storïau gyda'ch gilydd oherwydd mae'r patrymau sylfaenol – 'llwybrau stori' - wedi cael eu gosod yn yr ymennydd.

Mewn nifer o ddosbarthiadau Blwyddyn 3, gellir ystyried cynnal sesiynau creu stori wythnosol yn rheolaidd. Gellir creu storïau gyda dosbarth cyfan, grwpiau, parau neu gydag unigolion. Y dull sylfaenol yw creu stori ar lafar - heb ei hysgrifennu i ddechrau. Bydd yr athro'n arwain y broses – er ei bod yn bwysig bod y plant yn cymryd mwy o ran yn y broses ac yna'n gweithio'n annibynnol nes y byddant yn gallu creu eu storïau eu hunain. Golyga hyn fod yn rhaid i'r athro gadw'n ôl a pheidio â dylanwadu gormod ar y creu yn y sesiynau 'datblygu' stori.

Wrth greu stori newydd buddiol fyddai ailddefnyddio cymeriadau, lleoliadau, digwyddiadau, themâu a phatrymau cyfarwydd yn ogystal ag annog syniadau newydd. Daliwch ati i ddefnyddio cysyllteiriau, brawddegau a phatrymau stori er mwyn plethu syniadau gyda'i gilydd a gosod strwythurau sylfaenol ar gyfer eu creadigaethau. Er enghraifft - unwaith y bydd athro wedi ei arfogi gyda set syml o gysyllteiriau yna mae stori yn dod yn berffaith bosibl:

Un tro ...

Un diwrnod ...

Yn anffodus ...

Yn ffodus ...

Yn olaf ...

Dylai hyn i gyd ymddangos fel rhan annatod, ddiymdrech a naturiol o waith y dosbarth i'r plant, a rôl yr athro yw bod wrth law i gynnig cymorth.

Gwneud storïau

Pwyntiau i'w hystyried wrth ddechrau

Mae'n werth arbrofi ac adeiladu ystod o strategaethau i annog 'datblygu' storïau. Dyma rai awgrymiadau:

- creu stori arall am hoff gymeriad o stori neu lyfr lluniau;
- creu stori am wrthrych anghyffredin;
- ailddefnyddio patrwm plot cyfarwydd;
- cuddio eitemau mewn bocs neu fag er mwyn i gymeriad eu darganfod;
- defnyddio set o gardiau cymeriad a lleoliadau i ddewis 'pwy' a 'ble';
- rhoi nodwedd negyddol i'r cymeriad 'drwg/milain' – trist, unig, blin, crintachlyd, sbeitlyd, gwirion/ffôl, slei, dichellgar ...;
- rhoi nodwedd arbennig i'r prif gymeriad – clyfar, dewr, llwglyd, unig, gobeithiol, gofalus, caredig, hael, hapus ...;
- defnyddiwch set o gardiau cyfyng-gyngor/penbleth i ddewis rhywbeth i fynd o'i le;
- defnyddiwch lyfr stori lluniau megis 'Pig in the Pond' neu 'Owl Babies' ac ewch ati i ail-ddweud y stori gan feddwl am leoliad newydd gyda chymeriadau newydd;
- dewiswch thema sylfaenol ar gyfer y stori, e.e.
  - a. helpu rhywun
  - b. rhywun wedi cael ei gamadnabod
  - c. teimlo'n ofnus
  - ch. syndod
  - d. mynd i drwbl
  - dd. trist – hapus
  - e. unigrwydd – cyfeillgarwch
  - f. anghywir – cywir
  - ff. doeth - annoeth
  - g. cybyddlyd – hael
- chwarae cerddoriaeth – amser i bensynnu, i gau llygaid a dechrau 'gweld' stori;
- sylwi ar luniau – beth ddigwyddodd cyn hyn, yn ystod y llun, beth ddigwyddodd wedyn?;
- posteri a pheintiadau gyda rhywbeth yn digwydd ynddynt;
- clipiau fideo neu luniau llonydd;
- lluniau llonydd, mewn trefn arbennig ar sgrin er mwyn creu neu awgrymu plot;
- ysgrifennu digwyddiadau eraill o gwmpas stori gyfarwydd;
- gwrthrychau diddorol – botwm gloyw, lantern, hen fap, allwedd;
- lleoliadau – creu mewn lleoliad – beth ddigwyddodd yno?
- yr athro yn cymryd arno rôl cymeriad – gan ddweud eu stori hwy;
- llythyr yn cyrraedd, a darganfyddir hanner neges gudd;
- drama – actio a chreu stori ar y cyd.

Gwneud storïau

Datblygiadau ar y cyd fel dosbarth

Pan fyddwch chi'n creu storïau ar y cyd gyda phlant ifanc, cofiwch nad oes angen unrhyw beth cymhleth arnoch chi – CADWCH BOPETH YN SYML. Peidiwch â chreu stori gymhleth hirhoedlog sy'n mynd ar gyfeiliorn - model syml sydd ei angen.

Gwnewch yn siŵr bod y plant yn gyfforddus a chyflwynwch y sbardun neu'r man cychwyn. Yna rhowch sgaffaldiau i'w syniadau wrth i'r stori ddatblygu:

Un tro roedd yna - ydyn ni am gael bachgen, merch neu anifail y tro hwn? – Llwynog! – Iawn – beth am i ni ddechrau eto – Un tro roedd yna lwynog o'r enw – beth gawn ni'n enw ar y llwynog? – Mostyn! – Un tro roedd yna lwynog o'r enw Mostyn ac roedd o'n byw yn ... tybed lle'r oedd o'n byw...?

Cadwch ffrâm stori syml yn eich meddwl i arwain y stori ac i roi hyder i chi eich hunan:

- cyflwynwch gymeriad mewn lleoliad arbennig – *Un tro roedd yna ... ac roedd o'n byw yn ...*;
- anogwch y plant i wneud rhywbeth neu i fynd i rywle - *Un diwrnod*;
- mae rhywbeth yn mynd o'i le – *Yn anffodus*;
- rhowch drefn ar bethau – *Yn ffodus...Wrth lwc...*;
- meddyliwch am ddiweddglo da – *... ac yn hapus am byth*.

Y plot sylfaenol

Wrth drafod storïau gydag athrawon a phlant, dw i'n sylweddoli fwyfwy bod nifer o batrymau gwaelodol yn cael eu hailadrodd drosodd a throsodd mewn storïau ar ffurfiau amrywiol a gwahanol. Mae Christopher Hampton yn nodi saith plot sylfaenol, gan gynnwys trasiedi. Dyma ychydig o batrymau sylfaenol y mae'n werth i chi wybod amdanynt y gellir adeiladu storïau syml o'u cwmpas.

1. Problem/datrysiad
   Dyma batrwm sylfaenol – mae popeth yn iawn, yna mae problem yn codi ac yna mae popeth yn cael ei ddatrys yn llwyddiannus.

2. Trechu'r anghenfil
   I ryw raddau, dyma'r un patrwm. Cofiwch fod angenfilod, ellyllon a dreigiau yn cynrychioli popeth sy'n ddrwg yn ein bywydau. Yn y storïau hyn mae bywyd yn braf nes y daw anghenfil, a rhaid ei drechu - yn aml gan y person gwanaf. Gall yr anghenfil fod yn ellyll, ci ffyrnig, bwli, athro cas, clefyd neu ddiweithdra.

Gwneud storïau

3. Rhybudd
   Dyma fersiwn gyfleus o'r ddau blot uchod. Byddwch yn dechrau gyda rhybudd megis, 'peidiwch â chwarae wrth ymyl camlas'. Wrth gwrs mae'r cymeriadau yn gwneud yn hollol groes i'r hyn y maent i fod i'w wneud – maent yn mynd i drwbl, rhaid eu hachub ac maent wedi dysgu gwers erbyn diwedd y stori.

4. Cwest
   Dyma batrwm cyffredin arall – mae cymeriad yn cael tasg a rhaid iddo ef, neu hi, fynd ar siwrnai i gyflawni'r dasg, e.e. 'Culhwch ac Olwen'. Mae llenyddiaeth yn llawn storïau siwrnai, o *Lord of the Rings* hyd at *Hugan Fach Goch*.

5. Dymuno/rhwystrau
   Mae llawer o storïau ag iddynt gymeriad sydd wirioneddol eisiau rhywbeth ond mae'n wynebu rhwystr. Yn y diwedd mae'r rhwystr yn cael ei oresgyn, ac yn aml mae'r prif gymeriad yn cael yr hyn mae'n ei ddymuno, er ei fod yn aml yn cael ei siomi gan y 'rhywbeth' hwnnw! Dyna yw bywyd – goresgyn rhwystrau ellyllon sy'n cau'r ffordd at yr ymerawdwyr cas.

6. Colli/darganfod/erlid
   Yn y storïau 'colli' mae naill ai'r cymeriad yn mynd ar goll neu mae'n colli rhywbeth gwerthfawr. Yn y storïau 'darganfod' mae dod o hyd i rywbeth yn ein harwain ni i mewn i'r stori – yn amrywio o hadau at ysgub hud! Yn y storïau 'erlid', mae sgarmes wrth i'r gelyn geisio dal y prif gymeriad.

7. Sinderela/Ulw Ela
   Dyma'r patrwm mwyaf cyffredin drwy'r byd i gyd. Ceir hanes rhywun dan ormes, ond drwy ddyfalbarhad, caredigrwydd a theyrngarwch maent yn ennill y dydd, yn aml â chymorth cynorthwyydd. Tybiaf fod yr Iâr Fach Goch yn dipyn o Sinderela – ond ar ei phen ei hun mae hi'n ennill y dydd.

8. Galluoedd hud
   Yn y storïau hyn mae rhyw fath o bwerau hud neu driciau.

9. Nam mewn cymeriad
   Mae'r storïau hyn yn dangos cymeriadau sydd mewn helynt oherwydd rhyw nam. Yn aml erbyn y diwedd byddant wedi dysgu gwers neu wedi newid mewn rhyw ffordd.

10. Chwedlau/mythau
    Mae i'r rhain eu patrwm eu hunain – gellir eu dynwared a'u 'datblygu' neu eu benthyg i greu storïau newydd.

11 Storïau teuluol
   Mae ein profiadau ni ein hunain yn adnodd cyfoethog ar gyfer creu storïau. Dechreuwch drwy ail-ddweud hanesion ac yna trowch yr hanesion yn ffuglen drwy newid enwau'r cymeriadau ac ailosod y stori.

Gwneud storïau

Dywedwch hi - tynnwch ei llun - ail-ddywedwch hi

Pan fydd plant yn gweithio'n annibynnol, mae dysgu paratoi eu stori yn y ddau ddull isod o gymorth iddynt:

1. penderfynu beth sydd yn mynd i ddigwydd – siarad am y syniadau a thynnu llun map, bwrdd stori neu fynydd er mwyn dal eu syniadau;
2. dweud y stori a'i hail-ddweud – troi'r penderfyniadau i mewn i iaith stori.

Mae'n rhaid i'r athro fodelu hyn – penderfynu, dweud, tynnu llun, ail-ddweud, ac yn y blaen.

Cofnodi neu Ysgrifennu

Efallai mai creu stori er mwyn cael hwyl y byddwch chi ac ni fydd yn cael ei chofnodi mewn unrhyw ffordd. Fodd bynnag, mae nifer o ffyrdd y gellir eu hystyried ar gyfer cofnodi 'datblygiadau':

1) plant yn ail-ddweud eu storïau wrth ddosbarth arall;
2) tapio neu recordio'r stori;
3) fideo – defnyddiwch gamera 'digital blue';
4) tynnu llun map stori ac anodi;
5) tynnu llun y prif ddigwyddiadau ar fwrdd stori;
6) mapio'r prif ddigwyddiadau ar 'fynydd stori';
7) tynnu llun neu ysgrifennu nodiadau am y prif ddigwyddiadau ar siart llif – dyma ddarparu cynllun paragraffau syml;
8) ysgrifennu'r stori wrth iddi ddatblygu ar siart fflip neu lyfr mawr gwag.

Meddwl ychydig am gymeriadu

Dydy cymeriadu ddim yn dod yn hawdd i blant ifanc. Gan amlaf mae eu cymeriadau yn mynd drwy'r stori ac mae pethau yn digwydd iddynt - yn hytrach na bod y cymeriadau yn peri neu'n achosi i'r pethau ddigwydd. Un ffordd syml o gyflwyno'r syniad o gymeriadu ydy paratoi bwydlen o 'deimladau' a gadael i'r plant ddewis oddi ar y fwydlen. Gall y rhain fod yn deimladau negyddol neu bositif, e.e.

Caredig	Trist
Hael	Unig
Hapus	Blin
Dewr	Sbeitlyd
Clyfar	Barus
Cynhyrfus	Creulon

Gwneud storïau

Gyda llaw, byddai rhestr o gymeriadau, lleoliadau, teimladau a chyfyng-gyngor mewn setiau o chwech a defnyddio dis i ddewis ar hap yn ychwanegu at yr hwyl. Cyn gynted â'ch bod wedi dweud, 'Un tro roedd yna lwynog ffôl ac ...', mae'r posibilrwydd o rywbeth diddorol yn digwydd yn ei amlygu ei hun. Mae'r llwynog yn un ffôl – felly pa fath o bethau ffôl all ddigwydd? Bydd penderfynu ar emosiwn yn eich arwain i feddwl sut y bydd natur y cymeriad yn effeithio ar y digwyddiadau - beth fydd y cymeriad yn debygol o'i 'ddweud' neu ei 'wneud'. Mae natur a gwir gymeriad yn ymddangos drwy weithredoedd, symudiadau a deialog.

Hefyd – os yw cymeriad yn unig ar ddechrau stori – erbyn y diwedd efallai y bydd wedi darganfod ffrind ac felly'n hapus! Yn y modd yma gellir datblygu cymeriad mewn ffordd syml.

Dylai disgrifiad o gymeriad fod mor gynnil â phosib oherwydd gall ymyrryd â'r stori. Rhowch gynnig ar gyflwyno cymeriad mewn brawddeg sy'n cynnig tair ffaith ddisgrifiadol, e.e. 'Gwisgai glogyn coch, esgidiau pigfain a het uchel.'

Dyma ychwaneg o gymorth wrth gymeriadu:

- peidiwch â chyflwyno gormod o gymeriadau – bydd un neu ddau yn ddigon;
- dewiswch enw da i'r cymeriad;
- rhowch gynnig ar ailddefnyddio'r un cymeriad mewn gwahanol storïau er mwyn dod i'w adnabod ef neu hi yn dda;
- casglwch griw o gymeriadau stoc er mwyn i chi eu defnyddio fel y mynnoch;
- defnyddiwch fwydlen o 'deimladau';
- meddyliwch am beth allai cymeriad ei ddweud neu wneud, neu ewch ati i'w actio.

Ychydig sylwadau ar ddeialog

Mae deialog yn anodd. Rhaid ei fodelu lawer gwaith – a'i ymarfer lawer gwaith hefyd. Dechreuwch drwy ddefnyddio llinell newydd pan fydd rhywun yn siarad. Yna ewch ymlaen at swigod siarad. Yn olaf, rhowch bin yn y swigen a gadewch y dyfynodau.

Gosodwch bosteri syml ar y wal neu ar y cardiau stori i ddangos i'r plant sut i osod deialog yn gywir. Peidiwch â defnyddio storïau sydd yn cynnwys llawer o ddeialog. Casglwch 'ferfau dweud' pwerus ar y wal, ar y cardiau stori, neu yn eu dyddlyfr ysgrifennu - a gwnewch yn siŵr bod y plant yn eu defnyddio! Defnyddiwch y 'Peneliniadur' hefyd a ddatblygwyd gan Athrawon Bro Sir Ddinbych. Cyflwynwch, yr adferf ym Mlwyddyn 3 - sibrydodd yn slei.

Wrth ysgrifennu deialog, gofynnwch i'r plant feddwl am yr hyn y gallai cymeriad ei ddweud (atgoffwch hwy o 'deimlad' y cymeriad). Ychwanegwch gyfarwyddiadau llwyfan er mwyn dangos beth mae'r cymeriad yn ei wneud tra'i fod yn siarad, e.e. 'Tyrd yma,' sibrydodd Bill, **wrth iddo wyro o dan y car.**

Ychydig sylwadau ar leoliadau

Defnyddiwch gardiau lleoliadau fel bod banc ohonynt wrth gefn yn ôl yr angen. Defnyddiwch gamera digidol i dynnu lluniau o fannau lleol ac ychwanegwch nhw at y banc lleoliadau. Bydd disgrifio'r lleoliadau yn hawdd os dangoswch y lleoliad drwy lygaid y cymeriad – yr hyn welon nhw:

Edrychodd Seimon drwy'r fforest dywyll. Roedd y coed yn uwch na'r tai a rhyngddynt crynai cysgodion rhyfedd!

Paratowch siart neu dudalen o eiriau 'lleoliadau' er mwyn cefnogi'r plant wrth iddynt ysgrifennu. Dim ond un neu ddau fanylyn fydd eu hangen ar y plant i ffurfio darlun ar gyfer y darllenydd, ac yna gallant barhau gyda'u stori.

Ychydig sylwadau ar Fynyddoedd Stori

Defnyddiodd ambell ysgol batrwm sylfaenol y mynydd stori yn strwythur ar gyfer ysgrifennu stori o Flwyddyn 2 ymlaen. Mae'r mynydd yn cael ei arddangos ym mhob dosbarth gyda'r cysyllteiriau wedi eu gosod yn y mannau priodol. Wrth gwrs, bydd plant hŷn yn dechrau amrywio'r patrwm, ond o leiaf mae'n cynnig fframwaith syml ar gyfer storïau pob un o'r plant.

Ychydig sylwadau ar 'ac yna', 'ac wedyn'

Yn ddiweddar gofynnodd merch i mi sut i osgoi dweud 'ac yna' neu 'ac wedyn' wrth ddweud neu ysgrifennu stori. Mae'r ateb yn syml. Os ydych chi'n meddwl eich bod am ddweud 'ac yna' neu 'ac wedyn', oedwch. Stopiwch. Gorffennwch y frawddeg gan hepgor y geiriau 'ac yna' neu 'ac wedyn'. Gadewch fwlch bychan neu oedwch. Yna, dechreuwch y frawddeg nesaf.

Pennod 4 Defnyddio'r banc o storïau

Rwyf wedi darparu o leiaf chwe stori ar gyfer pob blwyddyn. Os edrychwch yn ofalus, fe welwch yr amrywiol nodweddion ieithyddol megis cysyllteiriau neu amrywio brawddegau wedi eu gweu i'r storïau – ceisiwch bwysleisio'r rhain drwy symudiadau oherwydd eu bod yn agweddau y dylai'r plant eu dysgu. Mae'r Banc Iaith a Symudiadau ar eich cyfer yn yr atodiadau.

Defnyddiwch y storïau fel ag y maent, ond os ydych yn ei chael hi'n anodd eu dweud yn rhythmig a rhugl mae croeso i chi eu haddasu a'u newid.

Pob lwc - a mwynhewch! Byddwch yn trosglwyddo diwylliant gwerthfawr i'r plant – rhan annatod o'u hetifeddiaeth, a boddhad bythol yr ysbryd dynol mewn stori dda. Bydd y storïau yn fyw yn eu cof am byth.

Pie Corbett 2007.

Mae nifer o'r storïau a gyflwynir isod yn wahanol i'r rhai sydd yn y llyfr *The Bumper Book of Storytelling into Writing Key Stage 2* gan Pie Corbett, Clown Publications. Mae hyn yn golygu bod gennych fanc ehangach o storïau rhwng y ddwy gyfrol a llawer o'r rheini yn rhai Cymreig. Cofiwch hefyd am *O ddweud stori i greu stori yng Nghyfnod Allweddol 1* gan Pie Corbett, addasiad Eirwen Jones, CBAC. Mae disgyblion Cyfnod Allweddol 1 wedi cael boddhad mawr o ddysgu'r storïau sydd yn y llyfr hwnnw.

Midas

Dyma stori am y Brenin Midas. Gwrandewch yn ofalus.

Yn gynnar un bore, gwelodd y garddwyr ym mhalas y Brenin Midas ddyn o'r enw Silenws yn cysgu yn y gerddi rhosynnau. Roedd o'n chwyrnu fel mochyn mawr tew. Felly dyma'r garddwyr yn ei rwymo o'i ben i'w sawdl a'i lusgo i weld y Brenin.

Ar y dechrau, roedd Midas yn flin iawn ond swynodd Silenws y brenin gyda'i storïau rhyfeddol. Wedi ei swyno'n llwyr, gwrandawodd Midas ar storïau yn sôn am deithiau hudol, heibio i drobyllau dychrynllyd ac ymlaen i ddinasoedd anhygoel o hardd lle'r oedd ffrwythau o bob math yn tyfu a thyrrau arian yn ymestyn i'r awyr. Cafodd Midas ei swyno am bum diwrnod cyfan.

Yn y diwedd, aeth Silenws yn ôl adref a rhoddodd y duw Dionysus un dymuniad i Midas am ei fod wedi bod mor garedig efo Silenws. Heb feddwl dim, dywedodd Midas, "Mi hoffwn i petai popeth y bydda i'n ei gyffwrdd yn troi'n aur melyn."

Ar y dechrau, meddyliai Midas fod hwn yn syniad da. Trodd y cerrig yn aur, yna'r bwrdd a'r cadeiriau. Ond wrth iddo ddechrau bwyta, trodd y bwyd yn aur! Yna, cymerodd ddiferyn o ddŵr ond trodd hwnnw'n aur hefyd. Wrth i'r dyddiau fynd heibio roedd aur o gwmpas Midas ym mhob man ond roedd o'n mynd yn denau fel brwynen. Yn wir, roedd ganddo ofn cyffwrdd ei blant rhag ofn iddyn nhw droi'n gerfluniau o aur. Wrth sefyll yn ei balas, gwelodd Midas aur yn lledaenu fel môr o'i gwmpas, a gwelodd ei ddiwedd ei hun hefyd!

Yn y diwedd plediodd Midas ar Dionysus i'w ryddhau o'r felltith oedd arno. Gan chwerthin, taflodd Dionysus ei ben yn ôl a rhuodd dros y lle. Dywedodd wrth Midas i fynd i nofio yn afon Pactolus. Hyd heddiw, filoedd o flynyddoedd wedi hyn, mae darnau o aur i'w gweld ar lannau tywodlyd yr afon.

A dweud y gwir, mi fyddech chi'n meddwl y byddai Midas wedi dysgu ei wers ac y byddai'n parchu'r duwiau ar ôl hyn. Ond aeth i ornest gerddorol rhwng Apollo a Marsyas. Pan enillodd Apollo, dechreuodd Midas ddadlau'n groch, gan weiddi a sgrechian ar y dyfarnwr a oedd hefyd yn dduw'r afon. Am iddo ddadlau'n groch, tyfodd clustiau fel clustiau mul ar ei ben, yn gosb.

Roedd Midas yn teimlo fel ffŵl. Cuddiodd ei glustiau blewog o dan ei gap. Ond tyfodd a thyfodd ei wallt a rhaid oedd mynd at y barbwr. Dyma Midas yn bygwth y barbwr gan ddweud y byddai'n ei ladd os dywedai wrth unrhyw un am y clustiau. Ond roedd y barbwr yn ei chael hi'n anodd cadw'r gyfrinach.

Felly, un noson dywyll, pan nad oedd neb yn edrych, aeth y barbwr at lan yr afon a thorri twll. Pan nad oedd neb yn edrych sibrydodd i mewn i'r twll, "Mae gan y Brenin Midas glustiau fel mul!" Roedd o'n teimlo'n well wedyn a rhoddodd y tywod yn ôl yn y twll. Yn anffodus tyfodd brwynen o'r twll a phan chwythai'r gwynt rhewllyd sibrydai'r gyfrinach yn sbeitlyd, "Mae gan Midas glustiau fel mul!"

Felly, unwaith eto roedd Midas yn llawn cywilydd.

Y Llyn Hud

Amser maith yn ôl, roedd bachgen o'r enw Sa´ad a merch o'r enw Afnan yn byw mewn gwlad gynnes braf o'r enw Yemen. Roedd Sa´ad yn frawd i Afnan ac Afnan yn chwaer i Sa´ad.

Roedd eu tad Saleh yn gweithio'n galed o fore gwyn tan nos yn ei siop. Ond, yn ffodus roedd ganddo ddyn ifanc o'r enw Ahmad yn ei helpu bob dydd. Roedd Saleh ac Ahmad yn gwneud potiau o bob lliw a llun – potiau, potiau a mwy o botiau!

Un diwrnod, aeth Saleh ar bererindod i'r Mosg Mawr yn Mecca. Yn ffodus, roedd Ahmad yn edrych ar ôl y siop, ac yn wir roedd o'n edrych ar ôl Sa´ad ac Afnan hefyd.
"Cofiwch wrando ar Ahmad a gwneud fel mae o'n ddweud bob amser," meddai Saleh.

Y bore wedyn, hwyliodd Saleh yn ei ddillad gwyn ar ei daith i Mecca.

Un diwrnod, roedd Sa´ad ac Afnan eisiau nofio yn y llyn.
"Plîs, plîs, gawn ni fynd i nofio yn y llyn?" gofynnodd Sa´ad ac Afnan.
"Wrth gwrs," meddai Saleh. "Ond peidiwch â meiddio yfed dŵr y llyn."

Rhedodd a rhedodd a rhedodd Sa´ad ac Afnan at y llyn a neidio i mewn i'r dŵr. O, roedd y dŵr yn oer braf. Nofiodd a nofiodd y ddau fel pysgod yn y llyn. Wedyn, aeth y ddau adre'n hapus.

Y noson honno dechreuodd Sa´ad ganu ei ffliwt. O, roedd y gân yn drist ac yn wir i chi roedd Afnan yn crio a chrio.
"Beth sy'n bod?" gofynnodd Sa´ad.
"O diar, dw i wedi anghofio fy hoff grib ar lan y llyn. Y crib prydferth ges i gan Dad," meddai Afnan gan feichio crio.
"Paid â phoeni Afnan fach, mi a' i i nôl dy grib," meddai Sa´ad yn garedig.

I ffwrdd â Sa´ad gan wibio drwy'r tywyllwch.

Daeth at y llyn. Ble roedd y crib? Chwiliodd a chwiliodd. O'r diwedd, gwelodd y crib yn disgleirio yng ngolau'r lleuad.
"Diolch byth!" gwenodd, gan benlinio i yfed llymaid o ddŵr i dorri ei syched.

Yn sydyn, cofiodd eiriau Ahmad.

"O! Dim ots am y chwedl wirion, dw i eisiau diod," meddyliodd Sa´ad.

Ond, yn, anffodus roedd hi'n rhy hwyr.

Diflannodd Sa´ad. Ond, yn sydyn, roedd gasél yn sefyll yn y llyn. Gasél bychan, gosgeiddig gwyn.

"Mae'n rhaid i mi fynd adre. Mae'n rhaid i mi ddweud wrth Afnan fy mod wedi troi i mewn i gasél," sibrydodd Sa´ad yn drist.

Carlamodd a charlamodd nes cyrraedd adre'. Y noson honno doedd yr un o'r ddau yn gallu cysgu winc. Roedden nhw'n poeni gan droi a throsi drwy'r nos.

Aeth dyddiau heibio. Aeth wythnosau heibio. Roedd pawb yn poeni, ond doedd neb yn gallu helpu Sa´ad druan.

Un diwrnod, gwelodd Afnan aderyn bychan bach oedd wedi brifo ar y to. Dringodd Afnan at yr aderyn bach a gafael ynddo'n ofalus. Rhoddodd fwyd iddo bob dydd.

Un prynhawn clywodd lais bach gwichlyd. "Diolch yn fawr. Diolch yn fawr," gwichiodd yr aderyn yn hapus.

Yn wir i chi, roedd yr aderyn yn siarad. Dychrynodd Afnan a sgrechiodd dros y lle.

"Paid â bod ag ofn," gwichiodd yr aderyn yn garedig. "Mi fedra' i dy helpu di. Dyma fy adenydd. Yn gyntaf, mae'n rhaid i ti roi'r adenydd i dy frawd. Yn ail, mae'n rhaid i dy frawd hedfan i'r Môr Disglair. Yna, bydd Sa´ad yn dod adre' fel bachgen unwaith eto."

Yn sydyn, tynnodd yr aderyn ei adenydd. Rhoddodd Afnan yr adenydd i Sa´ad. Hedfanodd Sa´ad yn uwch na'r cymylau heb ddweud gair. Hedfanodd a hedfanodd a hedfanodd nes cyrraedd y Môr Disglair. Yna, i lawr â fo. Neidiodd ar gefn pysgodyn a phlymiodd y ddau i waelod y môr.

O'r diwedd gwelodd Sa´ad Frenin y Moroedd.

"Rhaid i ti aros yma am saith diwrnod ac yna yfed o Gwpan y Perlau ar y seithfed dydd cyn troi yn ôl i fod yn ti dy hun," gorchmynnodd Brenin y Moroedd.

Ac felly y gwnaeth Sa´ad cyn dweud, "Diolch yn fawr". Neidiodd ar gefn y pysgodyn ac yna aeth adref ar frys.

"Sa´ad, Sa´ad, rwyt ti'n fachgen unwaith eto," sbonciodd Afnan, Ahmad a'r aderyn yn hapus.

Agorodd Sa´ad ei ddwrn. Yno, roedd perlau gwyn, fel peli bychain – anrhegion i bawb gan Frenin y Moroedd.

Daeth Saleh adref. Maddeuodd i Sa´ad. A wyddoch chi be'? Mi briododd Afnan gydag Ahmad. Ac wedi hynny dyma nhw'n byw yn hapus am byth.

Y Blaidd a'r Saith Myn Gafr

Un tro roedd gafr fawr wen, garedig a thew yn byw mewn tŷ bach twt. Ac yn wir i chi, roedd gan yr afr fawr wen, un, dau, tri, pedwar, pump, chwech, saith – ie, saith myn gafr bach.

Un diwrnod roedd yn rhaid iddi fynd allan ar neges. Felly dyma hi'n dweud wrth y saith myn gafr bach,
"Cofiwch. Peidiwch ag agor y drws i neb, yn enwedig y blaidd mawr cas. Mae o'n slei, yn niwsans ac yn beryglus."

Toc daeth y blaidd at dŷ bach twt y geifr. Curodd y drws, cnoc, cnoc, cnoc.
"Iw hw. Mae Mami yma. Agorwch y drws," gwaeddodd y blaidd.

"O, felly wir," meddai'r saith myn gafr. "Does gan Mami ddim llais cras fel ti. Llais meddal sydd gan Mami. Cer i ffwrdd. Yr hen flaidd cas wyt ti."

Felly dyma'r blaidd yn meddwl a meddwl a meddwl. Yna, aeth i'r siop i brynu sialc cyn cnoi a chnoi a chnoi'r sialc i wneud ei lais yn feddal. Cyn hir, roedd ei lais yn feddal fel melfed.

Ymhen dim, roedd wedi rhedeg yn ôl at dŷ bach twt y geifr. Curodd y drws, cnoc, cnoc, cnoc.
"Iw hw. Mae Mami yma. Agorwch y drws," meddai'r blaidd mewn llais meddal.

Ond, gwelodd y saith myn gafr bawennau'r blaidd ar sil y ffenest.

"O, felly wir," meddai'r saith myn gafr. "Does gan Mami ddim pawennau duon. Pawennau gwynion sydd gan Mami. Cer i ffwrdd. Yr hen flaidd cas wyt ti."

Felly dyma'r blaidd yn meddwl a meddwl a meddwl. Yna, aeth i siop y pobydd i brynu toes ffres cyn troi a throi a throi'r toes am ei bawennau. Roedd ei bawennau yn wyn fel yr eira.

Ymhen dim, roedd wedi rhedeg yn ôl at dŷ bach twt y geifr. Curodd y drws, cnoc, cnoc, cnoc.
"Iw hw. Mae Mami yma. Agorwch y drws," meddai'r blaidd mewn llais meddal gan roi ei draed ar sil y ffenest.

"Mae Mami yma. Hwre! Hwre!" gwaeddodd y saith myn gafr gan agor y drws led y pen.

Wrth weld y blaidd milain yn sefyll yno sgrechiodd y geifr a rhedeg nerth eu traed i'r fan hyn a'r fan draw. Un o dan y bwrdd. Un o dan y gwely. Un tu mewn i'r cwpwrdd. Un tu mewn i'r cloc mawr. Un tu ôl i'r piano. Un tu ôl i'r bwced lo ac un tu ôl i'r soffa.

Chwiliodd a chwalodd y blaidd. Chwiliodd a chwalodd a llyncu pob un. Pob un ond y myn lleiaf un. Yn ffodus, roedd o wedi cuddio yn y cloc mawr.

I ffwrdd â'r blaidd a'i fol yn llawn fel casgen gan lyfu ei geg fawr, fawr.

Yn fuan daeth Mami adref. Cyn iddi roi ei throed yn y tŷ bach twt, dyma'r myn bach lleiaf un yn dod allan o'r cloc i ddweud yr hanes wrthi.

Cerddodd Mami a'r myn gafr lleiaf un yn ddistaw bach i chwilio am y blaidd. Ymhen hanner awr, gwelodd y geifr yr hen flaidd cas yn cysgu'n drwm yng nghanol y cae gwair. Tynnodd Mami siswrn a nodwydd ac edau allan o boced ei ffedog. Yn araf bach, agorodd fol y blaidd a neidiodd y chwe myn gafr allan yn hapus. Yna, aeth y saith myn gafr i nôl saith carreg fawr. Heb siw na miw rhoddodd y saith myn gafr y saith carreg fawr i mewn ym mol y blaidd cyn i Mami wnïo'r twll ym mol y blaidd yn daclus.

Ar ôl i'r blaidd ddeffro, teimlodd ei fol yn drwm, drwm, drwm. Llusgodd yn araf at y ffynnon i gael diod o ddŵr. Ond, syrthiodd ar ei ben i'r ffynnon. I lawr, lawr, lawr. Aeth y blaidd i lawr i waelod y ffynnon ddofn ac yno mae o hyd, am wn i.

Pan welodd y saith myn gafr a Mami y blaidd yn diflannu, dyma nhw'n dawnsio a dawnsio a dawnsio o gwmpas y ffynnon gan weiddi, "Hip, hip, hwre."

Melangell

Un tro roedd tywysoges hardd o'r enw Melangell yn byw yn Iwerddon. Roedd hi'n harddach na holl ferched y byd. Ond, doedd hi ddim eisiau priodi. Roedd hi eisiau helpu Duw.

Felly, un noson dyma hi'n ffoi o Iwerddon, ar draws y môr a dod i Gymru i fyw ym Mhowys. Roedd hi'n hapus fel y gog yma. Bob dydd, roedd hi'n gweddïo ar Dduw. Yn wir i chi, ei ffrindiau pennaf oedd yr adar a'r anifeiliaid.

Un diwrnod, roedd Brochwel Ysgithrog, Tywysog Powys, yn hela ar gefn ei geffyl. Carlamodd a charlamodd a charlamodd ar ôl ysgyfarnog. Rhedai a rhedai a rhedai'r ysgyfarnog mewn ofn.

Yn sydyn, diflannodd yr ysgyfarnog. Chwiliodd a chwiliodd a chwiliodd Brochwel am yr ysgyfarnog. Chwiliodd yn y coed. Chwiliodd yn y llwyni a chwiliodd yr ochr arall i'r afon. Ond, doedd dim golwg o'r ysgyfarnog fach ofnus.

Yn fuan, daeth i lannerch. Doedd dim coed na llwyni yn y llannerch. Ond roedd merch yno. Merch brydferth. Merch dlos yn gweddïo.

"Esgusodwch fi," meddai'r brenin. "Welsoch chi ysgyfarnog yn rhedeg heibio i chi?"

Ni ddywedodd Melangell yr un gair. Dim ond syllu ar y brenin yn ddistaw bach.

Ond, yr eiliad honno symudodd a gwingodd yr ysgyfarnog gan ofn o dan ddillad Melangell.

Gwaeddodd Brochwel yn flin, "Dyna hi. Mae'r ysgyfarnog o dan eich dillad. Rhowch yr ysgyfarnog i mi. Rhowch hi i mi!"

"Chewch chi ddim cyffwrdd yn yr ysgyfarnog," sibrydodd Melangell yn ddewr.

Gwaeddodd Brochwel eto gan alw ei gŵn.
"Daliwch yr ysgyfarnog! Daliwch yr ysgyfarnog!" gwaeddodd nerth esgyrn ei ben.

Safodd y cŵn yn stond cyn troi ar eu sodlau, udo a rhedeg i ffwrdd.

Dychrynodd Brochwel.
"Rydych chi'n santes," meddai. "Rydych chi'n santes garedig. Mae croeso i chi aros yma i edrych ar ôl yr anifeiliaid."

Ac felly y bu. Mae eglwys yn Llanfihangel-y-Pennant hyd heddiw i gofio am Melangell, y ferch ddewr a charedig.

Y Crëyr Glas, Y Gath, a'r Fiaren

Amser maith yn ôl roedd crëyr glas yn ffermio ar lan afon droellog. Crëyr glas tal gyda gwddw hir a phig fel cleddyf oedd hwn. Roedd o'n ffermio gyda chath fawr, goch, flewog. Cath brysur weithgar gydag ewinedd fel cyllyll oedd hon. Roedd miaren yn ffermio gyda'r crëyr glas a'r gath goch. Miaren hir, bigog, gref oedd hon – miaren gyda phigau fel dannedd crocodeil.

Ond, yn wir i chi roedd y tri wedi blino ffermio. Felly dyma nhw'n rhoi'r gorau i ffermio, gwerthu'r fferm a rhannu'r arian.

Rhoddodd y crëyr glas ei arian mewn pwrs, a'i hongian am ei wddf gyda thamaid o linyn. Un diwrnod wrth iddo hedfan dros yr afon gwelodd ei lun yn y dŵr. Yn anffodus, torrodd y llinyn oedd yn dal y pwrs. Syrthiodd y pwrs i'r afon. A wyddoch chi be'? Dyna pam mae'r crëyr glas a'i ben yn y dŵr hyd heddiw. Mae o'n chwilio a chwilio a chwilio am ei bwrs yn llawn arian.

Wedyn, mi brynodd y gath wenith hefo'i harian. Ond, wyddoch chi be'? Mi ddaeth llygoden fach lwyd a'i theulu barus yn ystod y nos a bwyta a bwyta a bwyta'r gwenith. Roedd y gath goch, flewog yn wyllt wallgof. A wyddoch chi be'? Dyna pam mae pob cath yn hela a hela a hela llygod hyd heddiw. Maen nhw eisiau talu'r pwyth yn ôl.

A beth am y fiaren? Wel, mi roddodd hi fenthyg ei harian i ryw ŵr dieithr. A wyddoch chi be'? Chafodd hi ddim dimai o'r arian yn ôl. Naddo wir, dim dimai goch! A dyna pam mae'r fiaren hir, bigog yn tyfu a thyfu i bob cyfeiriad. Tyfu a thyfu er mwyn ceisio dal a bachu pob dyn dieithr. Mae hi eisiau ei harian yn ôl, siŵr iawn!

Sioncyn y Gwair a'r Morgrugyn

Un diwrnod braf, yng nghanol yr haf roedd Sioncyn y Gwair yn neidio a dawnsio, yn twitian a thrydar ac yn canu dros y lle. Yna, daeth Morgrugyn heibio gan gario tywysen o ŷd fawr dew ar ei hysgwyddau.

"Ara' deg! Pam wyt ti'n cario'r dywysen drom yna ar dy ysgwyddau?" gofynnodd Sioncyn y Gwair.

Heb aros am eiliad, atebodd y morgrugyn yn flin,

"Dw i ar fy ffordd i'r nyth. Dw i wedi cario, nid un, nid dwy, ond tair tywysen i'r nyth y bore 'ma."

"Wel y pen nionyn gwirion. Rho'r gorau i weithio. Tyrd i ddawnsio hefo fi. Paid â gweithio mor galed, wir!" meddai Sioncyn y Gwair gan ddawnsio ar ei goesau ôl.

"Mi fydd y gaeaf yma'n fuan. Mae'n rhaid casglu bwyd ar gyfer y gaeaf. Tyrd i weithio hefo fi. Tyrd, hel dy draed," meddai'r Morgrugyn.

Ond, dawnsio wnaeth Sioncyn y Gwair. Dawnsio heb falio dim.

"Paid â phoeni am y gaeaf. Mae digonedd o fwyd ar hyn o bryd," meddai gan ddawnsio'n hapus braf.

Ond gweithio, gweithio, gweithio wnaeth y Morgrugyn heb aros eiliad i orffwys.

Ymhen hir a hwyr daeth y tywydd oer. Rhuodd gwynt y Gogledd. Cuddiodd yr eira bob tamaid o fwyd o dan flanced o eira gwyn rhewllyd. Er crafu a thyllu a chwilio a chwalu, doedd Sioncyn y Gwair ddim yn gallu cyrraedd y bwyd o dan yr eira. Yn fuan iawn, roedd Sioncyn y Gwair bron â llwgu.

Llusgodd ei gorff gwan tenau at nyth cysurus y Morgrugyn. Yno, roedd llond y lle o fwyd.

Sylweddolodd Sioncyn y gwair bod yn rhaid paratoi ar gyfer amser da ac amser caled.

Sioncyn y Gwair a'r Morgrugyn

gan D. H. Culpitt

(Un o Chwedlau Esop)

Bu Sioncyn y gwair yn canu yn braf
Drwy oriau hirfelyn y gwanwyn a'r haf.
Heb feddwl erioed am gasglu i'w sach,
Na malio am neb, ond trydar yn iach.

Ond pan ddaeth y gaeaf distawodd y côr,
Ac nid oedd gan Sioncyn 'r un gronyn yn stôr,
Aeth at y morgrugyn, un tyn am ei fyd,
I ofyn am ran o'r hyn gasglodd ynghyd.

"Beth fuost yn wneuthur dan heulwen mis Mai,"
Gofynnai'r morgrugyn, "a bwyd yn ddi-drai?"
"Fe fûm i yn canu a neidio yn sionc,"
Atebai'r hen Sioncyn, "bu'n dda caffael tonc."

Ond meddai'r morgrugyn, un cyfrwys ei ddawn,
Â'i stordy o'r bwydydd rhagoraf yn llawn:
"Nid oeddit yn meddwl am aeaf na gwynt,
Dos rhagot 'r hen ddiogyn i ddawnsio fel cynt."

Cyfrinach y Winwns (Nionod)

Amser maith yn ôl roedd ffermwr o'r enw Abdullah yn ffermio y tu allan i ddinas Cairo. Ond, yn wir i chi, dim ond winwns oedd yn tyfu yn ei gaeau. Miloedd ar filoedd o winwns. Bob dydd, o fore gwyn tan nos byddai'n aredig, yn llyfnu, yn plannu, ac yn chwynnu er mwyn i'r winwns dyfu'n gryf.

Ond roedd Abdullah wedi dysgu cyfrinach am winwns . Na, nid eu bod yn dod â dagrau i'w lygaid. Na, roedd y gyfrinach yn un bwysig, bwysig. Doedd neb yn gwybod am y gyfrinach bwysig, bwysig. Neb, ond Abdullah.

Felly daliodd ati i aredig, a llyfnu, a phlannu a chwynnu yn yr haul poeth, poeth a thyfu winwns cryfion.

Cheops oedd brenin Gwlad yr Aifft. Yn anffodus, roedd ganddo broblem anferthol. Roedd y Brenin Cheops wedi penderfynu adeiladu pyramid cyn uched â'r cymylau. Casglodd gaethweision i ddechrau ar y gwaith. Ond, yn fuan daeth y gwaith i ben. Roedd y cerrig yn rhy fawr. Roedd y cerrig yn rhy drwm. Yn anffodus, ni fedrai neb eu codi.

"Mae'n rhaid codi'r cerrig," sgrechiodd y brenin. "Mae'n rhaid codi'r pyramid cyn uched â'r cymylau," gorchmynnodd yn flin.

Felly, dyma was y brenin yn ymweld â phob cwr o'r wlad gan chwilio a chwilio am rywun a allai godi'r cerrig mawr er mwyn codi'r pyramid.

"Mi fydd y person sydd yn gallu codi'r cerrig yn cael ei bwysau mewn aur yn wobr. Ond, yn anffodus os bydd o'n methu codi'r cerrig mi fydd y brenin yn torri ei ben i ffwrdd," cyhoeddodd yn gas.

Clywodd Abdullah'r neges. Aeth ar ei union i balas y brenin Cheops. "Mi fedra i helpu'r brenin," meddai.

Ond roedd dau arall yn y palas. Y cyntaf oedd Celeth y cawr anferth. Yr ail oedd Swnir, adeiladydd gorau'r wlad. Felly'r trydydd oedd Abdullah.

Cyhoeddwyd gŵyl. Celeth fyddai'n codi'r cerrig ar y diwrnod cyntaf. Os methai Celeth, yna byddai Swnir yn cael cyfle i'w codi ar yr ail ddiwrnod. Ac os methai Swnir, yna byddai Abdullah yn cael cyfle.

Roedd pawb yn eiddgar i weld yr ornest yn dechrau. Ond yn ddirybudd, diflannodd Abdullah. Yna daeth yn ei ôl gyda, nid un, nid dwy, ond tair basgedaid o winwns. Eisteddodd i lawr a dechrau bwyta. Bwyta a bwyta. Bwyta a bwyta, drwy'r nos, heb gysgu winc.

Ar doriad y wawr dyma'r ŵyl yn dechrau. Canwyd yr utgyrn. Curwyd y drwm. Galwodd y Brenin Cheops Celeth y cawr ymlaen.

Roedd Celeth cyn uched â'r Wyddfa. Curodd ei frest â'i ddyrnau gan ysgyrnygu fel llew. Wedyn plygodd i godi un o'r cerrig gan chwythu a bytheirio. Ond, er syndod, ni symudodd y garreg enfawr. Syrthiodd Celeth i'r llawr wedi blino'n lân.
"Wel am gawr gwan. I ffwrdd â'i ben!" gorchmynnodd y brenin.

Ar doriad y wawr, ar yr ail ddiwrnod daeth Swnir ymlaen i godi'r cerrig. Dyn bach tenau fel brwynen oedd Swnir.
"Swnir," meddai'r brenin, "rwyt ti'n denau fel brwynen. Wyt ti'n siŵr y medri di godi'r cerrig?"
"Na, fedra i ddim codi'r cerrig, ond mi fedra i ddweud wrth eich mawrhydi sut i'w codi," gwenodd Swnir. "Mae'n rhaid i chi dorri'r cerrig enfawr yn llai ac yna godi'r cerrig mân," awgrymodd Swnir.
"Wel am syniad twp," meddai'r brenin. "I ffwrdd â'i ben!" gorchmynnodd yn flin.

Unwaith eto, llusgodd y dorf adre'n siomedig. Doedd neb ar ôl ond Abdullah yn bwyta a bwyta'r drydedd fasgedaid o winwns. Ac felly y bu. Bwyta, bwyta, bwyta winwns wnaeth Abdullah drwy'r nos, heb gysgu winc.

Gwawriodd y trydydd dydd ac roedd Abdullah'n dal i fwyta. Yn bwyta heb stop. Neidiodd Abdullah ar ei draed pan welodd y brenin. Dechreuodd dynnu ei anadl i mewn. Tynnodd a thynnodd a thynnodd! Chwyddodd ei frest fel hwyliau llong. Ac yna chwythodd... Chwythodd y gwynt allan. Roedd y gwynt fel corwynt yn troelli ac yn codi'r garreg gyntaf i'r awyr fel pluen. Daliodd Abdullah i chwythu. I fyny â'r cerrig enfawr, fesul un, fesul dwy, fesul tair yn uwch ac yn uwch. Ymhen dim roedd pyramid mawr yn sefyll yno a phawb yn curo dwylo ac yn canmol Abdullah. Do, cafodd werth ei bwysau o aur.

Ac os ewch chi i'r Aifft, cofiwch fynd i weld pyramid Gizeh. Mae o yno o hyd. A chofiwch gyfrinach Abdullah. Does dim byd yn gryfach na gwynt winwns!

Dwynwen

Un tro roedd geneth dlos o'r enw Dwynwen yn byw mewn castell gwych gyda'i rhieni a'i brodyr a'i chwiorydd. Roedd brodyr a chwiorydd Dwynwen i gyd yn dlws. Ond Dwynwen oedd yr harddaf un. Du fel y frân oedd ei gwallt a sgleiniai yn yr haul. Gwyn oedd ei gruddiau a choch fel petalau rhosod oedd ei gwefusau. Roedd y bechgyn i gyd wedi gwirioni arni!

Un noson, roedd gwledd fawr yng nghastell Brychan, tad Dwynwen. Daeth pawb yno i fwyta, yfed a dawnsio. Ac yn wir i chi roedd un tywysog hardd yno hefyd. Maelon Dafodrill oedd y tywysog hardd hwn.

Edrychodd Maelon ar Dwynwen drwy'r wledd. Edrychodd ac edrychodd ac edrychodd. Roedd o dros ei ben a'i glustiau mewn cariad gyda Dwynwen. Brysiodd at Dwynwen, cydiodd yn ei llaw a dywedodd wrthi,
"Dwynwen, ti yw'r ferch harddaf yn y byd mawr crwn. Dwynwen wnei di fy mhriodi?"
Roedd calon Dwynwen yn curo fel mil o adenydd glöyn byw.

Rhedodd y ddau at Brychan i ofyn am ei ganiatâd i briodi.

"Priodi! Priodi Dwynwen! Na, byth! Na chei wir! Cer! Dos o'r castell hwn. Mae'n rhaid i Dwynwen briodi tywysog arall. Tywysog cyfoethog iawn."

Roedd Maelon wedi torri'i galon. Gadawodd y castell gyda dagrau yn llifo i lawr ei fochau, wedi drysu'n llwyr.

Roedd Dwynwen yn drist hefyd. Aeth i'r goedwig a gweddïo. Gweddïodd ar Dduw i'w helpu i anghofio am Maelon. Ymhen hir a hwyr cysgodd. Cysgodd a breuddwydiodd. Gwelodd angel yn ei breuddwyd. Angel yn cario cwpan. Yfodd o'r cwpan ac ar amrantiad anghofiodd am Maelon.

Yna, breuddwydiodd eto. Gwelodd Maelon yn cerdded ati. Daeth yn nes ac yn nes. Yna, daeth yr angel gan gario'r cwpan. Yfodd Maelon o'r cwpan. Ond, yn anffodus, er mawr syndod i Dwynwen, trodd Maelon yn lwmp o rew!

Yn ffodus, daeth yr angel a chynnig tri dymuniad iddi hi.

Yn gyntaf, gofynnodd Dwynwen i'r angel ddadmer Maelon. Yn ail, gofynnodd i'r angel droi dymuniad pob cariad yn wir. Yn drydydd, gofynnodd i'r angel wneud yn siŵr na fyddai hi byth yn priodi'r un dyn byw.

Ac felly y bu, a diflannodd yr angel.

Yn fuan wedyn rhoddodd Dwynwen ei bywyd i Dduw. Aeth yn lleian. Hwyliodd a hwyliodd a hwyliodd dros y môr i chwilio am le tawel, heddychlon a phrydferth i fyw fel lleian.

Wedi teithio dros y môr, ddydd ar ôl dydd, o'r diwedd glaniodd y cwch. Ynys Llanddwyn oedd y lle. Lle tawel, heddychlon ar Ynys Môn.

Hyd heddiw, mae olion eglwys Dwynwen ar yr ynys a chroes i gofio amdani. Ewch i Ynys Llanddwyn. Chwiliwch am ffynnon Dwynwen. Edrychwch yn y ffynnon ac efallai y byddwch chi'n clywed cyfrinachau yn dod o'r dŵr. Ys gwn i a ddaw'r cyfrinachau'n wir?

Stori'r Llwynog a'r Frân

**(yn cynnwys cerdd W Rhys Nicholas, 'Y Llwynog a'r Frân',
yn seiliedig ar un o Chwedlau Esop)**

Fe welodd y frân doc bychan o gaws:
"A-ha!" ebe hi, "ni fydd dim yn haws
Na disgyn arno heb oedi dim
A'i ddwyn i'm coeden i'w fwyta'n chwim."
A chyn y medrech chi gyfri deg
Roedd fry ar y gangen a'r caws yn ei cheg.

Un diwrnod roedd hen frân ddu yn hedfan yn araf uwchben y byd. Yn sydyn gwelodd ddarn o gaws coch, blasus.

A chyn i chi gyfri i ddeg plymiodd i'r ddaear fel saeth. Pigodd y caws gyda'i phig cyn glanio ar gangen yn fodlon braf.

Roedd llwynog yn cerdded o dan y coed,
Y llwynog cyfrwysa' a fu erioed;
Safodd yn sydyn 'r ôl gweld ar y brig
Y frân yn oedi a'r caws yn ei phig.

Y diwrnod hwnnw hefyd roedd llwynog coch, cyfrwys, slei yn cerdded yn araf o dan y goeden. Syllodd. Gwelodd y frân a'r caws coch, blasus yn ei phig.

"Yn wir," meddai ef, "yr wyt ti'n un ddel,
Ni welais erioed aderyn mor ffel,
Dy blu sydd mor raenus, yn sglein i gyd,
A'th ddau lygad gloyw fel perlau drud,
Ond dyna drueni dy fod heb gân,
Peth trist yw aderyn mud, Meistres Brân."

"Helo," meddai'r llwynog yn glên. "O rwyt ti'n ddel. Mae gen ti blu taclus, twt ac, o, maen nhw'n sgleinio fel swllt. Wel wir, mae gen ti ddau lygad crwn fel perlau bach drud. Ond mae'n biti garw nad oes gen ti gân, Meistres Brân."

Meddyliodd hithau: "Rhaid dangos i'r byd
Ac i bob llwynog nad wyf yn fud!"
Agorodd ei phig i roi cân yn awr
A chollodd ei chaws, aeth hwnnw i'r llawr!

Meddyliodd y frân am eiliad neu ddwy. Yna, agorodd ei phig er mwyn dangos i'r llwynog unwaith ac am byth ei bod yn gallu canu.

Yn wir i chi, i lawr â'r caws yn glep i'r llawr. Gan neidio'n sionc, cipiodd y llwynog y caws coch, blasus.

"Diolch. Diolch yn fawr," meddai'r llwynog gan sgrialu ar ei daith.

"O fy nghaws coch, blasus. Daria!" crawciodd y frân yn groch.

> "O diolch, diolch," ebe'r cadno coch
> A'i gadael hithau i grawcian yn groch.

Y Pibydd Brith

Yn Hamelyn yn yr Almaen, neu Hameln i roi'r enw Almaeneg ar y lle,yn y flwyddyn 1284, ymddangosodd pla o lygod. Roedd llygod yn y ffosydd, llygod yn y tai a llygod ar y toeau!

Ond, yn yr union flwyddyn honno, daeth dyn dieithr i Hamelyn. Gwisgai gôt amryliw. Credai rhai mai Joseff oedd o, ond yn fuan iawn roedd pawb yn ei adnabod fel y Pibydd Brith. Dywedodd y Pibydd Brith y gallai waredu'r dref o'r holl lygod am bris rhesymol. Cytunodd cynghorwyr y dref y bydden nhw'n talu'n dda iddo pe bai'n cael gwared â'r pla o lygod mileinig.

Dechreuodd y Pibydd Brith ganu ei bib. Er mawr syndod i bobl Hamelyn, llifodd y llygod o'r tai gan ddilyn y pibydd brith. Llygod, llygod, ym mhob twll a chornel!

Llygod!
O! dyna i chwi lygod a dyna i chi sŵn!
Rhai cymaint â chathod, bron cymaint â chŵn;
Rhai duon, rhai llwydion, rhai melyn, rhai brith,
Yn lluoedd afrifed cyn amled â'r gwlith;
Rhai gwynion, rhai gwinau,
Rhai tewion, rhai tenau,
Yn rhuthro i'r golau o'r siopau a'r tai,
Gan dyllu trwy furiau o gerrig a chlai;
Rhai mawrion, rhai bychain,
Yn hisian a thisian,
A rhedeg dan wichian at Neuadd y Dref.

(allan o 'Y Fantell Fraith', I.D. Hooson)

Dilynodd y llygod y Pibydd Brith gam wrth gam at yr Afon Weser. Camodd y Pibydd Brith i mewn i'r afon a chamodd y llygod i mewn i'r afon hefyd cyn boddi yn ei dyfroedd byrlymus.

Yn y prynhawn, aeth y Pibydd Brith yn ôl i'r dref i ofyn am ei arian. Aeth amser heibio fel y gwynt, a phob tro yr oedd y Pibydd Brith yn gofyn am dâl roedd y cynghorwyr yn gwrthod talu eu dyledion. Dywedon nhw nad oedd y llygod yn peri fawr o broblem iddyn nhw.

Ymhen mis aeth y Pibydd Brith yn ôl i Hamelyn. Gwisgodd glogyn ysgarlad a masg rhyfedd a cheisiodd unwaith eto gael ei arian. Ond, gwrthod ei dalu wnaeth y cynghorwyr barus. Felly, dechreuodd ganu ei bib. Ond y tro hwn, y plant oedd yn ei ddilyn, nid y llygod.

Plant, plant ym mhob twll a chornel yn chwerthin a chlebran gan ddringo llethrau'r mynydd. Chwerthin a chlebran, chwerthin a chlebran gan ddilyn y Pibydd Brith. Chwerthin a chlebran a diflannu i grombil y mynydd.

Yn anffodus, ni welwyd yr un plentyn byth wedyn.

Ogof y Brenin Arthur

Un diwrnod, roedd Dafydd yn cerdded ei ddefaid i fyny mynydd yr Aran yn Sir Feirionnydd. Mynydd uchel ydy'r Aran, mynydd da i fagu defaid. Ond, roedd y llethrau'n serth. Roedd Dafydd yn cerdded yn uwch ac yn uwch, gam wrth gam, i fyny Mynydd yr Aran. Eisteddodd Dafydd ar garreg a chymryd diferyn o ddŵr a brechdan cyn cychwyn yn uwch i fyny'r mynydd.

Cyn iddo roi'r frechdan yn ei geg gwelodd un o'r defaid yn cychwyn i lawr y llethr.
"Go fflamia!" meddai gan godi ar ei draed. Cydiodd mewn brigyn o'r goeden gyll oedd yn tyfu wrth ei ymyl. Roedd hon yn ffon wych a'i phen fel bachyn. Yn fuan, roedd wedi dal y ddafad a'i gyrru'n ôl at y ddiadell. I fyny'r mynydd â nhw a gwaith Dafydd ar ben.

Drannoeth aeth i Ffair y Bala. Cerddodd yn sionc a'r ffon gyll yn ei law. Yn gyntaf aeth heibio i'r ffermwyr a'u ceffylau. Yn ail, aeth heibio i'r arth frown ffyrnig ac yna heibio i'r dyn llyncu tân. Safai weithiau a synnu at firi'r ffair.

Ond, yn sydyn gwelodd hen ŵr. Hen ŵr yn gwisgo clogyn glas. Hen ŵr tal, main. Hen ŵr a'i farf laes yn cyrraedd at ei frest.

Sleifiodd yr hen ŵr yn nes at Dafydd. Heb feddwl dwywaith, gafaelodd yn Dafydd gyda'i ddwylo esgyrnog.

"Y ffon yna! Y ffon. Ble gest ti'r ffon?" Mynnodd gael ateb.

"Ar y mynydd. Ar yr Aran," gwingodd Dafydd.

"Tyrd. I'r mynydd â ni," gorchmynnodd yr hen ŵr yn gas.

Ceisiodd Dafydd ddweud na. Gwingodd! Gwaeddodd! Ond chlywodd neb ei lais. Roedd miri'r ffair yn boddi pob sŵn. Llusgwyd Dafydd i gyfeiriad y mynydd a'r hen ŵr yn gweiddi, "Dos â fi at yr union le lle cefaist ti'r ffon yma."

O dipyn i beth daeth y ddau at y llwyn cyll. Cydiodd yr hen ŵr yn ffon Dafydd. Tarodd y ddaear dair gwaith. Ai dewin oedd hwn? Agorodd y ddaear yn araf. Agorodd Dafydd ei lygaid hefyd. Agorodd ei lygaid led y pen. Gwelodd risiau. Grisiau serth yn mynd i lawr, lawr, lawr i grombil y ddaear.

Gwthiodd yr hen ŵr Dafydd o'i flaen. Crynai Dafydd gan ysu i weld beth oedd yng ngwaelod y grisiau.

Camodd yn bryderus nes cyrraedd llawr ogof anferth. Disgleiriai golau cryf o lamp fechan. Disgleiriai gan ddangos rhyfeddodau. Safai Dafydd yn geg agored. Safai heb ddweud yr un gair.

Gwelai drysorau o aur ac arian. Serennai gemau a chwpanau o aur. Gorweddai picellau a thariannau ym mhelydrau golau'r lamp. Ond, yn fwy na hynny, roedd degau ar ddegau o filwyr yn gorwedd ar lawr yr ogof. Milwyr cyhyrog yn cysgu'n drwm. Milwyr cryfion yn barod i ryfel.

Ac yna, o gornel ei lygaid gwelai orsedd brenin. Ac yn wir i chi, roedd brenin yn cysgu yno a'i ben ar glustog o sidan coch. Disgleiriai draig goch ar ei darian. Fflachiai llafn ei gleddyf trwm.

"Pwy ydy o? Pwy ydy o?" holodd Dafydd.

"Bydd ddistaw! Y Brenin Arthur ydy o. Ei filwyr sy'n cysgu ar y llawr," atebodd hen ŵr y dewin. "Tyrd, dyma sach. Rho'r trysor yn y sach a gwylia daro'r gloch sydd uwch dy ben."

Dychrynodd Dafydd wrth weld y gloch. Hongiai cloch aur anferth o do'r ogof. Gwibiai ei feddwl. Roedd y Brenin Arthur wedi marw ganrifoedd yn ôl.

Gwyddai'r dewin beth oedd ar feddwl Dafydd.

"Dydy o ddim wedi marw. Cysgu mae o. Aros i Gymru fod eisiau ei help mae o. Rhyw ddydd bydd rhywun yn canu'r gloch ac fe fydd Arthur yn helpu'r genedl."

Cynhyrfodd Dafydd. Heb allu meddwl yn glir, cododd ar frys a tharo ei ben yn y gloch. Canodd y gloch. Canodd y gloch gan ddiasbedain dros y lle.

Yr eiliad honno deffrodd y brenin a'i filwyr. Neidiodd y Brenin Arthur ar ei draed.
"Dewch, mae eisiau ein help ar Gymru," taranodd gan chwifio ei gleddyf uwch ei ben.

Plygodd y dewin ar ei liniau.
"Eich mawrhydi ... dafad, dafad Dafydd darodd y gloch."

"Popeth yn iawn! Popeth yn iawn! Felly nid oes ein hangen ar Gymru eto. Ewch yn ôl i gysgu," meddai Arthur gan eistedd ar ei orsedd, gosod ei ben ar y glustog sidan, a chysgu.

Camodd Dafydd allan i awyr iach y mynydd. Diflannodd hen ŵr y dewin. Diflannodd yr ogof hefyd. Ond, mae Arthur yn dal i gysgu ac yn barod i helpu Cymru rhyw ddydd!

Pam mae Cynffon yr Arth Mor Fyr?

Wyddoch chi pam mae cynffon yr arth mor fyr? Wel, mi ddyweda i wrthych chi. Gwrandewch yn ofalus.

Un diwrnod rhewllyd, oer yn y gaeaf, gwelodd Mr Llwynog griw o ddynion yn llwytho pysgod ar drol. Neidiodd Mr Llwynog ar y drol heb iddynt ei weld na'i glywed. Neidiodd yn ddistaw. Neidiodd yn slei.

Gwthiodd a gwthiodd a gwthiodd y pysgod oddi ar y drol. Gwthiodd bentwr o bysgod oedd yn fawr ac yn dew ar y llawr. Llyfodd ei geg gyda'i dafod fawr goch wrth feddwl am fwyta'r pysgod i ginio.

Ond, pan oedd o ar fin rhoi'r pysgodyn cyntaf yn ei geg, gwelodd Mr Arth yn cerdded ling di long tuag ato.

" Bore da. Wel wir, mi ddaliaist ti lwyth o bysgod heddiw. Sut wyt ti'n gallu dal cymaint o bysgod tewion, Mr Llwynog?" gofynnodd Mr Arth.

"Ydyn, maen nhw'n bysgod tewion braf. Os doi di hefo fi heno mi ddangosa i i ti sut mae dal haig o bysgod," meddai Mr Llwynog yn bwysig gan ysgwyd ei gynffon goch.

"Iawn. Mi ddo' i â fy ngwialen bysgota gyda mi," meddai Mr Arth yn llawen.

"Na, na. Does dim angen gwialen bysgota. Mi fydda i'n dal y pysgod gyda fy nghynffon. Mae gen ti gynffon gref. Mi fyddwn ni'n siŵr o ddal llond gwlad o bysgod," chwarddodd yn slei.

Wrth i'r haul fachlud cerddodd y ddau ar draws y llyn a oedd wedi rhewi'n gorn. Yna, daethant at dwll yn y rhew.

"Mr Arth, eistedda ar y rhew, rho dy gynffon drwy'r twll ac arhosa'n llonydd am amser maith. Wedyn fe fyddi di'n siŵr o ddal pysgod," pwysleisiodd Mr Llwynog.

Eisteddodd Mr Arth am oriau maith. Eisteddodd nes bod ei draed yn oer fel dwy garreg. Eisteddodd nes bod ei gynffon yn rhewi'n gorcyn yn nŵr y llyn.

Ymhen teirawr gwaeddodd Mr Arth,
"Ga i symud? Ydi hi'n amser tynnu'r pysgod o'r dŵr?"

"Na, na! Paid â symud bys na bawd," gwaeddodd Mr Llwynog yn flin.

Eisteddodd Mr Arth. Eisteddodd nes iddi wawrio. Yna, clywodd sŵn. Clywodd gŵn yn cyfarth nerth esgyrn eu pennau ar y lan.

Dychrynodd Mr Arth. Dychrynodd a thynnodd. Tynnodd a thynnodd ei gynffon o'r rhew. Ond yn anffodus roedd ei gynffon wedi ei rhewi yn nŵr y llyn. Tynnodd a thynnodd gyda'i holl nerth. Yn ddisymwth torrodd ei gynffon gan ei adael heb ddim ond pwt o gynffon fechan fach.

A wyddoch chi beth wnaeth yr hen lwynog cas? Wel, dyma fo'n chwerthin a chwerthin cyn rhedeg i ffwrdd, nerth ei draed. Chwerthin a chwerthin dros y lle.

Felly, dyna pam mae cynffon pob arth mor fyr.

Icarws

Ac felly y bu, llusgwyd Daedalws, y dyfeisiwr, yn ddiseremoni o flaen y Brenin Minos mawreddog ym mherfedd y nos tra roedd y fflamau yn gwneud i'r hesg grynu yn y tywyllwch.

"Ti!" rhuodd y Brenin. "Ti ydi'r un adeiladodd y labrinth. Ti sydd wedi gadael i Thesews arwain fy merch, Ariadne, oddi yma. Dy fai di ydi hyn i gyd!"

"Ond eich mawrhydi, chi ofynnodd imi adeiladu'r labrinth..."

"Paid â dweud yr un gair arall – ewch â fo a'i fab Icarws i'r tŵr."

Ac felly y bu, llusgwyd Daedalws ac Icarws i'r tŵr ym mherfedd y nos, i fyny'r grisiau troellog ac i mewn i'r ystafell uchaf un.

Aeth tridiau heibio fel y gwynt. Bob bore, agorwyd y drws derw a gwthiwyd bara a phowlenaid o fwyd i mewn i'r ystafell. Unwaith yr wythnos rhoddwyd cannwyll newydd i'r ddau er mwyn goleuo ychydig ar y tywyllwch dudew. Llygedyn o olau a llygedyn o garedigrwydd.

Gan refru a brygowthan, camai Icarws yn ôl ac ymlaen gan weiddi'n groch ar y brenin a'i fygwth. Ond, pwyso ar lintel y ffenest wnaeth Daedalws gan syllu ar draws y ddinas at fryniau pell Creta a'r môr a orweddai fel rhuban glas yn y pellter.

Syllodd Daedalws ar ochrau serth y tŵr yn ymestyn i lawr at y bobl brysur yn mynd a dod fel morgrug ar y ddaear islaw.

Un diwrnod edrychodd i fyny i'r awyr a gwelodd sawl boda yn troelli'n uchel ar adain y gwynt uwch ei ben. Yn sydyn, gwelodd bluen yn syrthio'n ysgafn. Cipiodd y bluen a gafael ynddi yng nghledr ei law tra daeth syniad i'w feddwl. Ar y dechrau, rhyw fflach o syniad, ond tyfodd y fflach yn syniad gwych.

Casglodd Daedalws y pytiau o ganhwyllau oedd ar lawr yr ystafell a bu'n rhaid iddynt eistedd yn y tywyllwch drwy'r nos. Casglodd y bara a'i falu'n friwsion mân cyn eu chwalu ar lintel y ffenest. Ar y dechrau adar y to a bigai'r briwsion. Yna, daeth sawl llinos wen a phïod. Ar ambell i ddiwrnod roedd yn denu'r bodaod gan gynnig tameidiau o gig iddynt. Pryd bynnag y byddai adar yn sefyll ar y lintel, cydiai Daedalws mewn pluen a'i chipio'n sydyn. Pan dyfodd y pentwr plu, toddodd Daedalws y cŵyr yn y gwres cyn gludo'r plu ar y cŵyr. O dipyn i beth gwnaeth ddwy adain enfawr. Rhwygodd ei grys yn rhubanau er mwyn iddo allu clymu'r adenydd i'w gorff.

Yn gynnar un bore, wrth i'r haul godi a chyn i filwyr y gwarchodlu ddeffro, clymodd Daedalws yr adenydd ar ei gorff o ei hun a chorff Icarws ei fab. Yn ofalus, safodd y ddau ar lintel y ffenest gan gyrlio bysedd eu traed a gafael yn nwylo'i gilydd.

"Beth bynnag a ddigwydd Icarws, cofia lithro'n syth, paid â gadael i'r gwynt dy godi a'th chwythu'n rhy uchel. Mae'r haul yn rhy boeth ac fe ddifethith o'n hadenydd. Yn gyntaf, mi awn ni i lawr. Felly dal dy freichiau'n dynn ac mi lithrwn ni ar draws y môr i gyfeiriad Sardinia. Yna, mi fyddwn ni'n saff."

Heb rybudd o fath yn y byd, tynnodd yn Icarws a llithrodd y ddau i lawr. Wrth i'r aer lenwi eu hadenydd dyma'r ddau yn sythu a hofran dros y ddinas. I fyny â nhw eto a thros y bryniau a'r môr.

"Dw i'n gallu hedfan, dw i'n gallu hedfan!" gwaeddodd Icarws yn llawn cyffro. Gwasgodd Daedalws law ei fab yn dynn cyn hedfan yn syth ymlaen. Ond, yn llawn rhyddid oherwydd ei fod wedi dianc rhag Minos, doedd Icarws ddim yn teimlo fel gwrando ar eiriau call ei dad. Gollyngodd ei law gan ddisgyn a chodi, plymio ac esgyn a throi ar adain y gwynt ben ucha'n isaf, i fyny ac i fyny.

"Llithra'n syth i lawr!" gwaeddodd Daedalws, ond erbyn hyn doedd Icarws yn clywed yr un gair wrth iddo esgyn yn uwch ac yn uwch. Mor uchel, mor siŵr ohono'i hun fel na chlywodd y cŵyr meddal yn diferu drip, drip, drip, drip a'r plu yn chwyrlïo i bob cyfeiriad. Am eiliad, stopiodd yn stond yn yr awyr heb symud bys na bawd, ac yna, plymiodd Icarws tuag at y ddaear fel carreg anferth. I lawr, i lawr tuag at y môr glaswyrdd cyn iddo weld y tonnau ewynnog yn rhuthro i'w groesawu.

Gwelodd Daedalws druan ei fab yn disgyn drwy'r cymylau, crash. I mewn i'r môr! A'i galon cyn drymed â Mynydd Olympus ei hun, llithrodd Daedalws i lawr cyn glanio ar dir Sardinia. Sylweddolodd bod ei fab wedi marw oherwydd ei ddyfais ef, ie, ei ddyfais ef...

A dyna ddiwedd hanes Daedalws, y dyfeisiwr, ac Icarws y bachgen a hedfanodd yn rhy uchel, yn rhy uchel o lawer...

Peidiwch Byth â Gweiddi, "Blaidd!"

Bob bore, byddai Pedr yn bugeilio ei ddefaid ar lethrau'r mynydd. Ac o fore gwyn tan nos, bob dydd, byddai'n diflasu mwy o awr i awr.

Roedd ei dad wedi ei rybuddio i weiddi, "Blaidd, blaidd!" nerth esgyrn ei ben os gwelai'r anifail yn dod yn agos at ei braidd. Yna, byddai'r pentrefwyr yn rhedeg ar ras i achub y defaid.

Felly, un diwrnod pan oedd Pedr wedi diflasu'n llwyr, cuddiodd y tu ôl i graig anferth a gwaeddodd, "Blaidd, blaidd!"

Chwarddodd yn dawel wrth iddo weld y pentrefwyr yn rhuthro a bytheirio i fyny'r llethrau. Ond yn wir i chi, roedden nhw'n lloerig pan ddeallon nhw mai hen dric cas oedd hwn.

Ddiwrnod ar ôl diwrnod, chwaraeodd Pedr yr un tric nes, yn y diwedd ni chymerodd y pentrefwyr sylw o'r llais yn gweiddi, "Blaidd, blaidd!" dros bob man.

Yn anffodus, un diwrnod daeth blaidd o'r fforest. Gwaeddodd a gwaeddodd a gwaeddodd Pedr, "Blaidd! Blaidd! Blaidd!"

Ond ni chymerodd y pentrefwyr sylw ohono, dim ond ysgwyd eu pennau a mwmian, "Mae'r Pedr wirion 'na yn tynnu coes eto."

Y noson honno, aeth Pedr adref heb yr un ddafad, ond roedd o wedi dysgu gwers galed iawn: *Fydd neb yn credu celwyddgwn hyd yn oed os ydyn nhw'n dweud y gwir bob gair.*

Y Llygoden a'r Llew

Un noson dywyll, ddu roedd Llygoden yn y cae gwair yn hela.

Yn anffodus, doedd Llygoden ddim yn sylwi i ble roedd hi'n mynd, ac yn sydyn, trawodd yn erbyn Llew.

Yn ffodus, roedd Llew newydd gael llond ei fol o fwyd a doedd o ddim yn llwglyd o gwbl.
"Plîs, plîs, paid â fy mwyta i," plediodd Llygoden.
Felly, gollyngodd Llew Llygoden yn rhydd.

Yn anffodus, y noson honno, daliwyd Llew yn rhwyd yr helwyr.

Yn ffodus, roedd Llygoden yn cerdded heibio. Yn sydyn, dechreuodd Llygoden gnoi'r rhaffau er mwyn i Llew gael mynd yn rhydd.

Tra roedd yr helwyr yn cysgu, rhedodd Llew a Llygoden i'r goedwig, y ddau yn rhydd ac yn ffrindiau da – *gall y cryf fod yn wan a'r gwan yn gryf, ond mae caredigrwydd yn gryfder y gallwn ni i gyd ei feddu.*

Cantre'r Gwaelod

O dan y môr a'i donnau
Mae llawer dinas dlos,
Fu'n gwrando ar y clychau
Yn canu gyda'r nos,
Trwy ofer esgeulustod
Y Gwyliwr ar y tŵr,
Aeth clychau Cantre'r Gwaelod
O'r golwg dan y dŵr.

(allan o 'Clychau Cantre'r Gwaelod' J.J. Williams)

Flynyddoedd maith yn ôl roedd pentref prysur ar lan y môr wrth ymyl Aberdyfi. Enw'r pentref oedd Cantre'r Gwaelod. Enw brenin Cantre'r Gwaelod oedd Gwyddno Garanhir ac roedd ganddo ddau o blant sef Mererid a Gwyddno. Roedd Gwyddno Garanhir, ei wraig a'i blant yn byw mewn palas mawr, hardd. Enw'r palas oedd Caer Wyddno.

Yn anffodus roedd y palas ar lan y môr ac roedd y môr ffyrnig yn berwi wrth ei ymyl. Ond, yn ffodus roedd Gwyddno wedi adeiladu wal fawr, uchel, gref i gadw'r môr allan o'r tir. Roedd ar bawb ofn y môr brochus.

Am fod y môr yn elyn peryglus cafodd Seithennyn, dyn mawr, cryf a chyhyrog, y gwaith o edrych ar ôl y morglawdd. Ddydd a nos, nos a dydd byddai'n gwylio'r morglawdd. Os oedd storm yn codi byddai'n canu cloch i rybuddio'r bobl bod storm ffyrnig yn agosáu. "Ding-dong, ding-dong," rhybuddiai'r gloch.

Un diwrnod, roedd gwledd ym mhalas Caer Wyddno. Roedd Mererid yn cael ei phen-blwydd ac roedd dynion o bob rhan o'r byd yn dod i'r palas gan obeithio priodi Mererid, y dywysoges hardd. Ond, roedd rhywun yn caru Mererid yn barod. Seithennyn. Oedd, roedd o dros ei ben a'i glustiau mewn cariad gyda Mererid ac roedd o am ddweud hynny wrthi ar ddiwrnod ei phen-blwydd.

Ar ddiwrnod y wledd roedd y baneri'n cwhwfan a phawb yn dawnsio'n sionc fel tylwyth teg gan weiddi'n hwyliog. Tywynnai'r haul a doedd yna'r un cwmwl yn yr awyr las lachar.

Ond, yn anffodus aeth Seithennyn i'r wledd. Gadawodd y morglawdd. Gadawodd y môr ffyrnig. Daeth storm! Y storm waethaf welodd Cymru erioed. Chwythodd y gwynt. Pistylliodd y glaw. Rhuodd y tonnau. Dawnsiodd Seithennyn. Ni chanodd y gloch, "Ding-dong, ding-dong." Ni rybuddiodd y gloch, "Ding-dong, ding-dong!"

Llamodd y tonnau i'r tir. Chwalwyd Caer Gwyddno i'r llawr. Difethwyd Cantre'r Gwaelod. Rhedodd y bobl am eu bywydau i'r mynyddoedd. Rhedeg a rhedeg a rhedeg. Dianc a dianc a dianc, gan sgrechian.

A dyna ddiwedd Cantre'r Gwaelod.

Ond, os ewch chi i Aberdyfi ar noson braf o haf pan fydd y môr yn llepian yn dawel, efallai y clywch chi'r clychau yn canu dan y môr, "Ding-dong, ding-dong."

> Ond pan fo'r môr heb awel,
> A'r don heb ewyn gwyn,
> A'r dydd yn marw'n dawel
> Ar ysgwydd bell y bryn,
> Mae nodau pêr yn dyfod,
> A gwn yn eitha' siŵr
> Fod clychau Cantre'r Gwaelod
> I'w clywed dan y dŵr.
>
> (allan o 'Clychau Cantre'r Gwaelod' J.J. Williams)

Merch y Llyn

Flynyddoedd maith yn ôl roedd dyn ifanc o'r enw Hywel yn ffermio, gyda'i fam, yn fferm Blaen Sawdde. Yn aml iawn byddai Hywel yn mynd â'i ddefaid i bori glaswellt ar lethrau'r Mynydd Du.

Un prynhawn braf yn yr haf aeth Hywel gyda'i ddefaid i fyny'r llethrau nes cyrraedd llyn. Llyn y Fan Fach oedd ei enw. Roedd dŵr y llyn yn glir fel grisial. Cysgai pobman a phob peth. Tra'n bwyta'r darn bara a gafodd yn ginio gan ei fam, syllai Hywel ar y defaid yn pori'n hamddenol braf ar lan Llyn y Fan Fach.

Yn sydyn, gwelodd gylchoedd yn crychu'r dŵr. Oedd yna rywbeth yng nghanol y llyn? Craffodd yn syn. Craffodd a chraffodd heb symud bys na bawd. Merch. Merch osgeiddig oedd yno. Merch dlos yn cribo'i gwallt hir melyn, cyrliog. Yr eiliad honno, syrthiodd Hywel mewn cariad â'r ferch brydferth.

Mentrodd yn nes. Gafaelodd yn ei fara. Gwthiodd ei law at y ferch. "Fuaset ti'n hoffi darn o'r bara 'ma?" holodd Hywel gan wenu. "Cras dy fara, nid hawdd fy nala," meddai'r ferch hardd cyn plymio fel pysgodyn yn ôl i ddŵr y llyn, a diflannu.

Wedi aros a syllu gan obeithio gweld y ferch eto, cychwynnodd Hywel am adref a'i galon bron â thorri. Ar ôl cyrraedd adref dywedodd yr hanes wrth ei fam. Penderfynodd ei fam mai bara llaith, nid bara sych oedd ar y ferch ei eisiau. Gwnaeth y bara mewn chwinciad.

Drannoeth, i ffwrdd â Hywel yn ôl at Lyn y Fan Fach. Aeth eiliadau, munudau ac oriau heibio'n araf. Ond, fel yr oedd Hywel yn barod i gychwyn adref, gwelodd y ferch eto. O roedd hi'n dlws a'i llygaid duon yn pefrio'n ddisglair. Mentrodd yn nes gan estyn ei law a chynnig y bara llaith iddi.

"Llaith dy fara, ti ni fynna," gwenodd y ferch cyn plymio fel pysgodyn yn ôl i ddŵr y llyn, a diflannu.

Cerddodd Hywel adref gan lusgo'i draed yn drist. Unwaith eto, dywedodd yr hanes wrth ei fam. Penderfynodd hi mai bara nad oedd yn sych nac yn wlyb oedd at ddant y ferch. Gwnaeth y bara mewn chwinciad.

Wedi noson ddi-gwsg aeth Hywel yn ôl at y llyn cyn iddi wawrio bron.

Eisteddodd ar lan y llyn gan obeithio gweld y ferch yr oedd o'n ei charu. Dechreuodd wawrio. Gwelodd y ferch. Y ferch dlysaf yn y byd mawr crwn.

Gwthiodd ei law yn araf i gyfeiriad y ferch brydferth gan gynnig y bara iddi. "Diolch yn fawr," gwenodd yn ddiolchgar. "Mae'r bara'n berffaith, diolch."

Roedd Hywel wrth ei fodd. Gwenodd gan sibrwd yn dawel, "O! Rwyt ti'n hardd. O! Rwy'n dy garu di. Wnei di fy mhriodi?"

Gwenodd y ferch.
"Gwnaf," meddai'n hapus cyn plymio a diflannu i ddŵr llyn.

Wrth i Hywel bendroni'n llawn syfrdan, cododd hen ŵr a dwy ferch brydferth o'r llyn. Ie, dwy ferch. Dwy ferch oedd yn union yr un fath â'i gilydd.
"Os medri di adnabod dy gariad, fe gei di ei phriodi," meddai'r hen ŵr mewn llais gwan.

Craffodd Hywel. Sylwodd bod cwlwm mwy ar graeau esgid un o'r merched. Arwydd, meddyliodd. Arwydd ei bod yn fy ngharu.

"Hon yw fy nghariad," meddai'n hapus gan arwain y ferch o'r llyn. Yna, yn wir ichi, dechreuodd y ferch gyfrif yn gyflym, gyflym a daeth degau, ugeiniau, cannoedd o anifeiliaid allan o'r llyn ar ei hôl.

"Dyma dy anrheg priodas," meddai'r hen ŵr. "Ond, cofia os wyt ti'n taro fy merch deirgwaith, heb achos, yna bydd yn diflannu'n ôl i'r llyn."

Aeth blynyddoedd heibio ac roedd y ddau yn byw yn hapus gyda'u tri mab.

Un diwrnod, roedd y teulu ar gychwyn i fedydd. Rhedodd Hywel i ddal y ceffyl. Ond, wrth iddo roi'r ffrwyn am ben y ceffyl llithrodd gan yrru'r ffrwyn i gyfeiriad ei wraig. Tarodd y gadwyn haearn yn erbyn ei choes. Oedd, roedd wedi taro'i wraig unwaith.

Er mor ofalus oedd Hywel, yn anffodus fe drawodd hi eilwaith. Un noson, wrth iddo gerdded adref gwelodd bedol yn disgleirio yng ngolau'r lleuad. Cododd hi. Cerddodd i mewn i'r tŷ. Ond, wrth iddo ei gosod ar y silff, llithrodd y bedol a tharo'i wraig yn ysgafn ar ei hysgwydd. Oedd, roedd wedi taro ei wraig eilwaith.

Aeth blynyddoedd heibio fel y gwynt ac roedd y teulu'n byw'n hapus braf. Un diwrnod, roedd angladd yn y pentref. Ond, digwyddodd rhywbeth rhyfedd iawn. Dechreuodd ei wraig chwerthin. Chwerthin. Ie, roedd ei wraig yn chwerthin dros y lle. Chwerthin mewn angladd?

Chwerthin a chwerthin a chwerthin.

Tarodd Hywel ei wraig ar ei braich yn ysgafn. Oedd, roedd wedi ei tharo deirgwaith.
Diflannodd. Diflannodd gan alw'r anifeiliaid ar ei hôl:
"Tarw Gwyn a Moelfrech,
Llo Du Bach a Gwynfrech,
Yr hen Wynebwen
A'r las Geigen
Dewch, fe awn ni adre."

Er mawr syndod i Hywel a'r tri mab, diflannodd pob anifail a'i wraig hardd. Diflannu. Diflannu am byth!

Wel, dim am byth bythoedd. Un diwrnod daeth yn ôl â llyfr mawr o dan ei braich. Llyfr o ryseitiau oedd o. Ryseitiau yn dweud sut i wella pobl gan ddefnyddio llysiau a blodau. A wyddoch chi be'? Daeth ei thri mab yn feddygon enwog. Meddygon Myddfai oedd eu henwau.

Skillywidden

Freuddwydioch chi erioed am ddal picsi bychan sy'n byw yng ngwaelod eich gardd? Mi wyddoch, wrth gwrs, fod ganddyn nhw grochanau o aur wedi eu cuddio'n slei. Wel, dyma stori am Trici Dici, cymydog agos iawn i mi. Roedd o'n byw yn Trevidga, yng Nghernyw, a chewch wybod beth yn union ddigwyddodd iddo.

Yn gynnar un bore, cerddai Trici Dici'n hamddenol braf. Er syndod iddo, gwelodd bicsi bychan yn cysgu ar glustog o deim gwyllt, blodeuog. Mi fuasech yn taeru mai cath fechan oedd o gan ei fod yn fwy na llygoden fawr ond yn llai na chorgi. Gwisgai gôt werdd lachar a chlos pen-glin cyn lased â'r awyr. Disgleiriai byclau'n llawn diemwntau ar ei esgidiau.

"Fedra' i'ch helpu chi?" holodd Skillywidden, y picsi, yn garedig.
"Medri. Ble mae dy aur di wedi ei guddio?" gofynnodd Trici Dici yn fygythiol.
"Mi guddiais i'r aur mewn sach," atebodd Skillywidden.
"A ble mae'r sach?" holodd Trici Dici.
"Mi guddiais i'r sach mewn potyn," atebodd Skillywidden.
"A ble mae'r potyn?" oedd cwestiwn nesaf Trici Dici.
"Mi guddiais i'r potyn mewn twll," atebodd Skillywidden.
"A ble'n union mae'r twll?" holodd Trici Dici yn ddiamynedd.
"Mi guddiais i'r twll o dan goeden," meddai Skillywidden.
"Ble mae'r goeden felly?" holodd Trici Dici'n flin.
"Mi guddiais i'r goeden yng Nghoedwig Sharpham!" atebodd y picsi.

Felly, cydiodd Trici Dici yn y picsi, ei godi a'i wthio i'w boced cyn cerdded draw i'r goedwig.

Doedd y ddau ddim wedi cerdded fawr ddim pan waeddodd Skillywidden, "Trici Dici, mae'n well i ti fynd adref. Mae'r gwartheg yn y cae ŷd!"

"Bydd ddistaw," gwylltiodd Trici Dici. "Fedri di mo fy nhwyllo i, y picsi dwl." Felly dyma nhw'n cerdded a cherdded yn eu blaenau.

Toc, dyma Skillywidden yn bloeddio eto. "Trici Dici, mae'n well i ti fynd adref. Mae'r defaid wedi dianc o'r gorlan!"

"Bydd ddistaw," gwaeddodd Trici Dici. "Fedri di mo fy nhwyllo i, y picsi dwl." Felly dyma nhw'n cerdded a cherdded yn eu blaenau.

Ymhen dau funud, dyma Skillywidden yn bloeddio dros y lle, "Trici Dici, mae'n well i ti fynd adref. Mae pob un o'r gwyddau wedi hedfan dros yr afon ac yn bell i ffwrdd!"

"Bydd ddistaw," bygythiodd Trici Dici. "Fedri di mo fy nhwyllo i, y picsi dwl." Felly dyma nhw'n cerdded a cherdded yn eu blaenau.

Ymhen rhyw ddeg munud, dyma Skillywidden yn galw eto, "Trici Dici, mae'n well i ti fynd adref. Mae to dy fwthyn wedi ei chwythu i ebargofiant!"

"Bydd ddistaw," bloeddiodd Trici Dici. "Fedri di mo fy nhwyllo i, y picsi dwl."

Felly dyma nhw'n cerdded a cherdded yn eu blaenau nes cyrraedd Coedwig Sharpham. Safai cannoedd o goed fel rheng o filwyr yn y goedwig drwchus.

"Wel, Skillywidden," holodd Trici Dici, "O dan ba un o'r coed yma mae'r aur wedi ei guddio?"

Cerddodd y picsi bach at un o'r coed. Cododd ei fys a'i gyfeirio at y goeden gan ddweud, "Dacw'r goeden!"

Felly, dechreuodd Trici Dici dyllu'r ddaear o dan y goeden, ond roedd y ddaear yn galed fel craig. "Mae'n rhaid i mi gael rhaw," meddai. "Ond wiw i mi fynd adref i nôl rhaw achos wna i byth gofio o dan ba goeden mae'r aur."

Yna, cafodd Trici Dici syniad gwefreiddiol. Tynnodd ei sgarff glas a'i glymu am foncyff y goeden.

Roedd o ar gychwyn am adref pan waeddodd Skillywidden yn uchel, "Oes rhywbeth arall fedra i wneud i chi syr, neu ydy hi'n iawn i mi fynd adre'?"

"Ydy, dos," meddai Trici Dici cyn gwibio am adref i nôl y rhaw.

Cododd y picsi ei law yn hy' a dweud, "Pob lwc!" cyn troi'n frân fawr ddu a hedfan dros y cloddiau gan weiddi, "Dyma fi, Mami."

Pan gyrhaeddodd Trici Dici adref, wyddoch chi beth welodd o?

Roedd y gwartheg yn y cae ŷd!

Ac yn waeth na hynny, roedd y defaid wedi dianc o'r gorlan!

Ac yn waeth na hynny hyd yn oed, roedd pob gŵydd wedi hedfan dros yr afon ac yn bell i ffwrdd.

A'r peth gwaethaf un ddigwyddodd ... oedd, roedd to ei fwthyn wedi ei chwythu i ebargofiant!

Ond, doedd Trici Dici'n poeni dim. Dim ond yr aur oedd ar ei feddwl. Cydiodd yn y rhaw a rhedeg nerth ei draed am Goedwig Sharpham.

A beth welodd o yno?

Cannoedd ar gannoedd o goed a sgarff glas am foncyff pob un ohonynt.

Rhedodd Trici Dici druan o goeden i goeden yn wyllt.

"Mae'r picsi pwdr yna wedi fy nhwyllo i," sgrechiodd gan droi am adref.

Cofiwch eiriau Trici Dici,
Peidiwch credu gair 'run picsi.

Culhwch ac Olwen

Amser maith yn ôl roedd yna dywysog hardd o'r enw Culhwch.
Tywysog ifanc, tal a chryf oedd Culhwch ac roedd ganddo lawer o filwyr.

Un diwrnod dywedodd Culhwch,
"Dw i'n hoffi Olwen y dywysoges hardd. Mi hoffwn i briodi Olwen achos hi
ydy'r ferch harddaf yn y byd mawr crwn. Mae Olwen yn dlws, yn dyner ac
yn addfwyn."

Yn anffodus, Ysbaddaden Bencawr y cawr mawr, erchyll a chas oedd tad
Olwen. Yn wir i chi, doedd Ysbaddaden ddim yn fodlon i neb briodi Olwen.

Felly dyma Ysbaddaden yn gweiddi nes bod y ddaear yn crynu,
"Os oes rhywun eisiau priodi Olwen mae'n rhaid iddyn nhw wneud tasgau
anodd iawn ac mae'n rhaid iddyn nhw eu gwneud i GYD!"

Felly dyma Culhwch yn dweud,
"Dw i am wneud y tasgau i gyd a dw i am briodi Olwen."

Yr eiliad honno roedd Culhwch, a oedd yn farchog penigamp, wedi neidio ar
gefn ei geffyl. Carlamodd a charlamodd a charlamodd trwy Gymru i gyd.
Ymhen blwyddyn, roedd Culhwch wedi gwneud degau o dasgau. Ond yn
anffodus, roedd un dasg ar ôl a hon oedd y dasg anoddaf yn y byd mawr
crwn.

Yn fuan wedyn dyma Ysbaddaden Bencawr yn gweiddi'n gas,
"Os wyt ti eisiau priodi Olwen, mae'n rhaid i ti wneud y dasg anodd, anodd,
anodd hon. Mae mochyn gwyllt, peryglus a chas o'r enw'r Twrch Trwyth yng
Nghymru yn rhywle. Yng nghanol y blew ar ei ben mae crib o aur, ac mae'n
rhaid i mi gael y crib achos dw i eisiau cribo fy ngwallt ar ddiwrnod priodas
Olwen. Ond yn anffodus dim ond Mabon fab Modron sy'n gallu dal y Twrch
Trwyth ac mae o mewn carchar, tywyll, du. Ha! Ha! Haaa!"

Ymhen dau funud, roedd Culhwch wedi neidio ar gefn ei geffyl. Aeth
Gwrhyr gyda Culhwch am ei fod o'n gallu siarad gydag anifeiliaid.
Carlamodd a charlamodd a charlamodd y ddau gan chwilio am Mabon.

Ymhen dim, gwelodd Culhwch a Gwrhyr Fwyalchen Cilgwri, a oedd yn hen
aderyn doeth iawn.

Gan fod Gwrhyr yn gallu siarad gydag adar ac anifeiliaid, dyma fe'n gofyn,

"Wyt ti wedi gweld Mabon fab Modron?"

Ond dyma Mwyalchen Cilgwri'n dweud, "Rydw i'n hen ac yn ddoeth iawn ond chlywais i erioed am Mabon fab Modron. Ond efallai y gall Carw Rhedynfre eich helpu chi."

Felly dyma Culhwch a Gwrhyr yn carlamu a charlamu a charlamu i chwilio am Carw Rhedynfre.

Ymhen dim dyma nhw'n gweld Carw Rhedynfre a oedd yn hen garw doeth iawn. Ond dyma Carw Rhedynfre'n dweud, "Rydw i'n hen ac yn ddoeth iawn ond chlywais i erioed am Mabon fab Modron. Ond efallai y gall Tylluan Cwm Cawlwyd eich helpu chi."

Felly dyma Culhwch a Gwrhyr yn carlamu a charlamu a charlamu i'r cwm.

Ond dyma Tylluan Cwm Cawlwyd yn dweud, "Rydw i'n hen ac yn ddoeth iawn ond chlywais i erioed am Mabon fab Modron. Ond efallai y gall Eryr Gwernabwy eich helpu chi."

Felly dyma Culhwch a Gwrhyr yn carlamu a charlamu a charlamu i ben y mynydd enfawr at Eryr Gwernabwy.

Ond dyma Eryr Gwernabwy'n dweud, "Rydw i'n hen iawn ac yn ddoeth ond chlywais i erioed am Mabon fab Modron. Ond efallai y gall Eog Llyn Llyw eich helpu chi."

Felly dyma Culhwch a Gwrhyr yn carlamu a charlamu a charlamu i lawr at yr afon.

Wedyn dyma Gwrhyr yn gweiddi, "Wyt ti'n gwybod ble mae Mabon fab Modron?"

Yn ddirybudd daeth pen Eog Llyn Llyw allan o'r dŵr.
"Mae Mabon fab Modron yn nhŵr mawr, cadarn y castell. Neidiwch ar fy nghefn."

Yn sydyn, neidiodd Culhwch a Gwrhyr ar gefn Eog Llyn Lliw.

Nofiodd a nofiodd a nofiodd yr eog yn gyflym nes cyrraedd tŵr mawr cadarn y castell.

Y diwrnod wedyn daeth milwyr y Brenin Arthur i helpu Culhwch a Gwrhyr, ac ar ôl brwydro a brwydro a brwydro cafodd Mabon ei ryddhau o'r castell.

I ffwrdd â nhw wedyn dros y mynyddoedd, drwy'r dyffrynnoedd ac i lawr y creigiau gan symud yn gyflym fel y gwynt i chwilio am y Twrch Trwyth.

O'r diwedd dyma nhw'n dal y Twrch Trwyth ffyrnig, milain a chas a dwyn y crib aur o'r blew ar ei ben.

A wyddoch chi beth? Priododd Culhwch Olwen hardd – ar ôl cribo gwallt Ysbaddaden Bencawr, wrth gwrs. Yna, dyma nhw'n byw yn hapus am byth.

Y Gamlas

Yn gynnar un bore, aeth Tom a minnau ling-di-long, ling-di-long i lawr at y gamlas. Roedd Mam wedi ein siarsio i beidio â chwarae yno, ond dywedodd Tom, fy ffrind, ei bod yn berffaith ddiogel yno. Tra roedden ni'n cerdded ar draws y caeau roedden ni'n siarad pymtheg y dwsin am y gêm bêl-droed ddifrifol a welsom y noson gynt. A'i ben yn ei blu, ciciodd Tom y twyni tyrchod. Roedd Wrecsam wedi colli eto fyth!

Ymhen deg munud, daethom at y lôn, a'i chroesi cyn rhedeg i lawr at y gamlas. Yn ofalus, syllodd y ddau ohonom i mewn i'r dŵr. Roedd dŵr y gamlas yn drwch o chwyn gwyrdd drewllyd ac yn llonydd a du. Ymddangosai ambell i swigen o bryd i'w gilydd ar wyneb y dŵr. Edrychai'n ddwfn. Yn llawn cyffro, cydiodd Tom yn fy mraich a'm tynnu draw at yr hen dderwen. Yn y fan lle'r oedd y brigau'n ymestyn allan fel breichiau dros y gamlas, hongiai hen raff yn syth i lawr.

Er ei bod yn edrych yn beryglus, gwenodd Tom arna i. Rhedodd fel milgi cyn codi a llamu dros y gamlas. Wedi iddo gipio'r rhaff, siglodd yn ôl ac ymlaen gan floeddio a gwneud sŵn fel seiren. Er fy mod i'n chwerthin, roedd fy nghalon yn curo fel gordd. Gwyddwn y byddai'n rhaid i mi lamu dros y gamlas ymhen dim. Neidiodd Tom i'r llawr a glanio ar lan y gamlas. Gyda gwên fawr ar ei wyneb, rhoddodd y rhaff yn fy llaw.

Oedais am eiliad. "Oes ofn arnat ti?" gofynnodd Tom gan edrych arna' i. Doeddwn i ddim am iddo feddwl fy mod i'n gachgi. Gyda gofal, rhedais yn ôl a llamu 'mlaen. Hedfanais ar draws y gamlas gan grafu wyneb y dŵr gyda fy sodlau. Wrth i mi gyrraedd yr ochr draw, gollyngais y rhaff a disgyn yn bendramwnwgl ar y lan. Chwarddodd Tom ac ymestyn ei law i ddal y rhaff.

Roedd o'n bwriadu siglo ar draws y gamlas er mwyn dod ataf i. Ond wrth iddo gyrraedd tua hanner ffordd ar draws y gamlas rhwygodd y rhaff. Trawodd Tom wyneb y dŵr yn galed. Dechreuais chwerthin. Yna'n sydyn cofiais – fedrai Tom ddim nofio. Yn wyllt gan ofn, plymiais i mewn i'r dŵr. Ar y dechrau fedrwn i ddim gweld yr un dim – dim ond tywyllwch fel bol buwch a chwyn yn clymu am fy nhraed. Ond yn sydyn gwelais rywbeth coch! Hwdi Tom. Yn wyllt wallgof, cydiais a thynnais Tom i'r lan.

Ugain munud yn ddiweddarach, roedden ni'n sefyll yng nghegin Mrs Jenkins, mam Tom. Roedd yn rhaid i mi egluro beth oedd wedi digwydd a chawsom bregeth ffyrnig ganddi. Yna es adref a chefais anferth o ffrae eto gan Mam. Oedd, roedd hi wedi fy rhybuddio lawer gwaith. Lle peryglus oedd y gamlas. Roedden ni wedi bod yn lwcus, diolch byth!

Yr Ornest

Hen fwli 'di Gwynt y Gogledd
Mae'n ffrind i'r eira gwyn,
Heb gysur yn ei galon
Mae'n rhewi dŵr y llyn.

Rhyw ddydd fe glywodd Heulwen
Y Gwynt, yn gweiddi'n groch,
"Y fi yw'r elfen gryfaf,
Y fi a'm bochau coch."

"O na," sibrydodd Heulwen,
"Y fi yw'r gryfaf un,
Fe'th heriaf, Wynt y Gogledd,
I ornest fore Llun."

"Edrycha ar y ffermwr
Yn gweithio yn y cae,
Os gelli dynnu 'i got o,
Bydd terfyn ar ein ffrae."

Fe chwythodd ac fe chwythodd
Hen Wynt y Gogledd cas,
Gan rewi llynnoedd Cymru
A'r holl afonydd bas.

Ond crynu wnaeth y ffermwr
A thynnu'i gôt yn dynn.
"Ni thyfith hadau'r Gwanwyn,
A'r gwynt mor oer â hyn!"

Ond chwythu wnaeth o eto,
"W! W!" yn groch fel hyn,
A'r cyfan wnaeth y ffermwr
Oedd tynnu'i got yn dynn.

Ac yna fe ddaeth Heulwen
A'i gwên yn llawn o wres,
A ch'nesodd yr hen ffermwr –
Eisteddodd yn y tes.

"Wel diolch am yr Heulwen,
Mae'n boeth, wel dyna braf.
Caf dynnu'r hen gôt frethyn,
A gwisgo dillad haf."

Diflannodd Gwynt y Gogledd,
Heb ymddiheuro dim.
Ond fe ddaw'n ôl o'r Gogledd,
Â'i ffrind – yr eira gwyn.

Dinas Emrys

Flynyddoedd maith yn ôl roedd brenin o'r enw Gwrtheyrn yn byw yng Nghymru. Brenin cryf, brenin pwerus oedd Gwrtheyrn. Yn wir i chi roedd o mor gryf nes bod pawb am ei waed. Poenai Gwrtheyrn. Poenai'n fawr.

"Mae'n rhaid i mi guddio rhag fy ngelynion," meddai.

Cerddodd a chrwydrodd. Cerddodd a dod o hyd i'r... man perffaith! O'r diwedd daeth i fynyddoedd uchel Eryri ac yno daeth o hyd i le diogel. Daeth ei filwyr yno hefyd gan gario ei drysorau gwerthfawr. Aur cyn felyned â'r haul. Gemau cyn ddisgleiried â'r sêr. Cistiau trymion yn llawn trysorau.

Gwelodd Gwrtheyrn y man delfrydol i godi castell. Felly dyma'r seiri maen a'r seiri coed yn mynd ati'n brysur fel lladd nadroedd i adeiladu castell. Castell mawr oedd hwn. Castell a gadwai olwg ar bob darn o dir o'i gwmpas. Gogledd, de, gorllewin a'r dwyrain.

Y noson honno, cysgai pawb yn dynn wedi diwrnod caled o waith. Ond, yn ddisymwth dechreuodd y ddaear grynu. Roedd yr awyr yn llawn sŵn. Sŵn fel drymiau anferthol yn taro a tharanu. Crynai'r bobl. Crynu a chrynu a gobeithio y byddai'r sŵn yn distewi.

Yn ffodus, distawodd y taro. Stopiodd y crynu erbyn toriad gwawr. Ond, yn anffodus roedd y castell yn ddim ond pentwr o gerrig, yn ddim ond llanast llwyr. Felly, dyma fynd ati i adeiladu o'r newydd. Codi cerrig. Adeiladu. Gweithio heb eiliad o orffwys.

Ond wyddoch chi be? Chwalwyd pob carreg y noson honno hefyd. Chwalwyd pob carreg i'r llawr.

Roedd Gwrtheyrn wedi gwylltio'n gacwn.

"Mae'n rhaid i mi ddod o hyd i'r gelynion dichellgar 'ma sy'n dinistrio fy nghastell," gwaeddodd Gwrtheyrn yn llawn casineb.

"Nid dy elynion sydd wedi difetha'r castell," awgrymodd un gŵr doeth. "Ysbryd drwg! Ysbryd milain! Ysbryd anghynnes! Dyna sy'n difetha dy waith. Mae'n rhaid i ti ladd bachgen a'i roi yn anrheg i'r ysbryd drwg. Oes, mae'n rhaid i ti ladd bachgen. Ond dim ond bachgen heb dad fydd yn plesio'r ysbryd drwg."

Felly, dyma Gwrtheyrn yn cynnig gwobr i'w farchogion. Gwobr hael. Gwobr o aur ac arian. Yna, cychwynnodd y marchogion ar eu taith i chwilio am fachgen heb dad.

Aeth oriau heibio. Aeth dyddiau heibio. Aeth misoedd heibio. Roedd Gwrtheyrn yn mynd yn fwy anobeithiol bob dydd.

Un bore, crwydrodd Gwrtheyrn gam wrth gam ar hyd llethrau Eryri gan feddwl a meddwl yn drist a phenisel. Ond, yn sydyn clywodd sŵn carnau ceffyl yn carlamu tuag ato. Safodd yn stond. Syllodd. Gwelodd geffyl gwinau yn dod yn nes ac yn nes tuag ato. Craffodd. Oedd, roedd marchog ar y ceffyl. Oedd, roedd bachgen yn gafael yn dynn am ganol y marchog. Ai hwn oedd y bachgen heb dad?

Safodd y ceffyl o fewn modfeddi at Gwrtheyrn.
"Ai ti yw'r bachgen hynod?" holodd Gwrtheyrn.
Nodiodd y bachgen ei ben.
"Ie," meddai'n swil. "Emrys ydw i, syr."

Estynnodd Gwrtheyrn bwrs yn llawn aur ac arian i'r marchog gan ysgwyd ei law a'i ganmol am ddarganfod y bachgen, Emrys.
"Mi fydd yr ysbryd drwg yn diflannu unwaith y byddwn ni wedi lladd y bachgen yma. Yna, mi adeiladwn ni'r castell," meddai Gwrtheyrn gan rwbio'i ddwylo'n gynhyrfus.
"Ond, eich mawrhydi," meddai Emrys. "Does dim ysbryd drwg yma. Mae rhyw ffŵl wedi'ch camarwain. Lol botes ydi'r fath gelwydd."

Roedd Gwrtheyrn wedi cymryd at y bachgen yn syth. Ond, yn anffodus roedd ei gynghorwyr yn galw am ei waed.

"Mae'n rhaid ei ladd. Lladdwch o! Lladdwch o!" meddai'r cynghorwyr gan weiddi'n groch.

"Tyllwch,"meddai Emrys. "Tyllwch i grombil y ddaear. Fe welwch chi, nid un ond dwy ddraig yn ymladd. Yn ymladd ac ymladd yng nghanol llyn. Draig wen y Saeson ydy un a draig goch y Cymry ydy'r llall. Maen nhw'n cwffio a phaffio, yn ymladd ac ymlafnio. Dyna pam mae'r castell yn dymchwel."

Wedi poeni a phendroni am ddyddiau gorchmynnodd Gwrtheyrn i'w filwyr dyllu i grombil y ddaear. Roedd y gwaith yn anodd ac araf. Chwysai'r gweithwyr. Chwysu a chwysu wrth dyllu a thyllu.

Ond, yn sydyn dyma nhw'n gweld dŵr du drewllyd. Yn y dŵr du drewllyd roedd dwy ddraig. Dwy ddraig ffyrnig yn crafu a sgraffinio'r naill a'r llall wrth ymladd am waed ei gilydd. Dyna frwydro. Tasgai'r gwaed. Tasgai dŵr du drewllyd y llyn. Tasgai tafodau'r dreigiau. O'r diwedd, daeth y frwydr i ben. Pwy enillodd y frwydr? Wel, y ddraig goch wrth gwrs.

A wyddoch chi beth? Cafodd Emrys ei wobrwyo gan y brenin. Cododd Gwrtheyrn gastell newydd yn Nant Gwrtheyrn. Ond, arhosodd Emrys ym mynyddoedd Eryri. Cododd gastell ger y lle y bu'r ddwy ddraig yn ymladd. Dinas Emrys ydi'r enw ar y fan honno hyd heddiw.

Swp o Wellt, Colsyn o Lo a'r Ffeuen Fach

Un tro, cyn eich geni chi a minnau, roedd hen wraig dlawd wrthi'n brysur yn paratoi ffa ar gyfer ei swper. Gafaelai yn y codau gwyrdd. Rhedai ei bysedd ar hyd eu hochrau melfedaidd. Agorai'r codau a disgynnai'r ffa i'r dŵr oedd yn y sosban.

Taniodd yr hen wraig y tân gyda swp o wellt tanllyd. Llyfodd y fflamau'r grât wrth iddyn nhw losgi'r glo. Ond yn ddiarwybod iddi, syrthiodd un ffeuen ar welltyn wrth iddi osod y sosban ar y tân.

Ac yn wir i chi sbonciodd colsyn o lo o'r tân a glanio wrth ymyl y gwelltyn a'r ffeuen hefyd.

Er mawr syndod dechreuodd y gwelltyn siarad gyda'r ffeuen a'r colsyn o lo.

"Wel helo! O ble daethoch chi'ch dau?" holodd.

"Wel, yn ffodus, mi neidiais i o'r tân a hynny cyn i mi gael fy llosgi'n lludw llwyd," meddai'r colsyn o lo.

"Wel, yn ffodus mi syrthiais i o'r sosban a hynny cyn i mi gael fy merwi'n stwnsh a'm bwyta," meddai'r ffeuen druan.

"Wel, yn ffodus mi lithrais i rhwng bysedd yr hen wraig wrth iddi danio'r tân a hynny cyn i mi gael fy llosgi fel fy mrodyr a'm chwiorydd," cwynfanodd y gwelltyn.

Felly, am eu bod wedi bod mor lwcus penderfynodd y tri fynd ar daith i weld y byd.
Cyn bo hir, daethant at nant fechan. Llifai'r dŵr yn sionc. Yn anffodus doedd dim pont yn croesi'r afon. Ond yn ffodus, cafodd y gwelltyn syniad. Sythodd yn bwysig a dywedodd,
"Beth am i mi orwedd ar draws y nant ac yna mi gewch chi gerdded drosta i i'r ochr draw?" cynigiodd y gwelltyn yn gall.

Heb feddwl dwywaith, brasgamodd y colsyn dros y bont. Ond yn anffodus, dechreuodd grynu wrth weld y dŵr oddi tano. Safodd yn stond. Roedd y gwelltyn ar dân. Roedd y gwelltyn yn gwegian. Torrodd yn ei hanner a phlymio i'r nant cyn diflannu yn y llif. Yna, i lawr â'r colsyn gan hisian a mygu wrth lanio ar wyneb y dŵr, a boddi ar waelod y nant.

Chwerthin. Chwerthin. Chwerthin fel het wnaeth y ffeuen. Chwerthin nes bod ei hochrau'n hollti ac yn agor. Yn ffodus, roedd teiliwr yno yn y fan a'r lle ac edau ddu a nodwydd yn ei law. Gwnïodd yr hollt. Diolchodd y ffeuen iddo am achub ei fywyd. A wyddoch chi be'? Dyna pam mae llinell ddu i'w gweld ar y ffeuen hyd heddiw!

Nia Ben Aur

Yn y dyddiau pell hynny, pan oedd cewri ar y ddaear a merched yn harddach na phelydrau'r haul roedd yna ŵr ifanc o'r enw Osian yn byw yn Erin. Gŵr ifanc dewr a chryf oedd Osian a hoffai ganu a difyrru ei ffrindiau.

Un bore braf o wanwyn tyner aeth Osian i hela gyda'i dad. Carlamai'r ddau ar eu ceffylau cryfion gan hela o gwmpas llynnoedd Cil Airne. Yn sydyn, gwelsant ferch, merch hardd, merch osgeiddig, yn carlamu tuag atynt ar gefn ei cheffyl gwyn. Gwisgai fantell o sidan glas. Clymwyd ei gwallt ar ei thalcen gan dorch o aur pur a ddisgleiriai yn haul y bore. Disgleiriai ei llygaid hefyd. Disgleirient yn wyrdd fel dŵr llynnoedd Cil Airne. Syllodd Osian. Syllodd a synnu at y ferch hardd. Llifai ei gwallt fel cadwynau o aur. Llifai nes cyrraedd y llawr. Llifai dros y cyfrwy melfed coch. Llifai dros y ffrwyn o aur, i lawr at y pedolau melynion o dan bedair troed ei cheffyl balch.

"Nia Ben Aur, merch i frenin Tir na nÓg ydw i. Tyrd gyda mi i Dir na nÓg, Osian," galwodd dan wenu.

"Tir na nÓg? Sut wlad ydy honno?" holodd Osian.

"Mae Tir na nÓg yn fendigedig. Mae ffrwythau ar y coed drwy'r gaeaf a'r haf. Mae digon o aur ac arian yno a gemau gwerthfawr. Fe gei di anifeiliaid o bob math a chant o filwyr i'th warchod. Yn Nhir na nÓg mae telynorion yn canu i gyfeiliant eu telynau aur. Ond, yn well na hynny, does neb yn heneiddio yn Nhir na nÓg. Mae pawb yn ifanc am byth yn Nhir na nÓg."

Er mawr dristwch i'w dad, aeth Osian gyda'r ferch yr oedd yn ei charu. Neidiodd ar ei cheffyl a charlamodd y ddau dros fryn a dôl a chyrraedd y môr. Gweryrodd y ceffyl hud deirgwaith a charlamu dros y tonnau ewynnog.

Ymhen hir a hwyr, gwelodd Osian balas gwych yn codi o waelod y môr a holodd pwy oedd yn byw yn y palas hardd hwnnw.

"Castell Ffomor y cawr ydy o. Cawr ffyrnig, anghynnes ydy o. Beth amser yn ôl fe gipiodd ei wraig oddi ar ei theulu ac mae'n ei chadw yn y palas yn erbyn ei hewyllys," ebychodd Nia'n drist.

Ar amrantiad carlamodd Osian i gyfeiriad y castell. Yna, dechreuodd y frwydr. Brwydr erchyll oedd hon a barodd am dridiau. O'r diwedd distawodd y brwydro a bu farw'r cawr cas a rhyddhawyd y frenhines.

Wedi golchi clwyfau Osian a gorffwys, cychwynnodd y ddau ar eu taith dros y tonnau gwyllt. Cododd storm – storm enbyd. Fflachiodd y mellt. Berwodd y môr. Ond, ymlaen ar garlam yr aeth y ceffyl. Ymlaen heb falio dim.

Ymhen rhai oriau gostegodd y storm. Yna dallwyd Osian gan yr olygfa. Yn y pellter gwelodd furiau o aur melyn. Llifai afonydd gloyw i lynnoedd clir fel grisial. Diferai'r coed gan ffrwythau a blodau. Dyma Dir na nÓg!

Yn fuan, priodwyd Nia ac Osian yn dilyn gwledd a barodd am ddeg diwrnod. Aeth y dyddiau a'r blynyddoedd heibio fel y gwynt. Aeth tri chan mlynedd heibio. Ond roedd yn ymddangos fel tair blynedd, cystal yr oedd bywyd yn Nhir na nÓg.

Ond er mor hapus oedd Osian, daeth hiraeth i'w boeni. Hiraeth mawr. Hiraeth am gael gweld ei dad a'i ffrindiau.

Erfyniodd Nia arno i beidio â mynd yn ôl i Erin ond gwyddai na allai ei rwystro.

"Bydd Erin yn wahanol. Bydd dy dad a'th ffrindiau wedi diflannu o'r tir. Ac yn waeth na hynny os cyffyrddith dy droed yn nhir Erin … ddoi di byth yn ôl ata i. Paid â mynd," erfyniodd.

Ond marchogaeth ar y ceffyl gwyn wnaeth Osian gan sicrhau Nia na fyddai'n gadael i'w droed gyffwrdd â thir Erin.

Wedi teithio am ddyddiau dros fôr a thir, cyrhaeddodd ei gartref. Holodd a holodd am ei deulu ond doedd neb erioed wedi clywed amdanynt.

Un diwrnod, wrth deithio gwelodd ddynion yn ceisio codi carreg oedd cymaint â cheffyl. Plygodd a'i chodi ar gledr ei law yn ddidrafferth. Ond, digwyddodd y gwaethaf. Llithrodd Osian a disgyn i'r llawr. Yr eiliad y cyffyrddodd â thir Erin, heneiddiodd Osian. Diflannodd y cnawd oddi ar ei esgyrn. Gorweddai yno yn hen ŵr diymadferth.

Yn ôl y sôn, galwyd ar Sant Padrig ac aeth yntau ag Osian i'w dŷ gan edrych ar ei ôl nes iddo farw.

NIA BEN AUR

Nia Ben Aur o Dir na nÓg,
Ti oedd y ferch dlysaf welodd Osian erioed,
Mynnodd dy briodi, a hynny a fu
Ac aethoch dros y môr i Dir na nÓg.

Ar lwybr aur yr heulwen, ar derfyn fydol glyn
Mae meysydd braslawn Tir na nÓg dan faich eu cnydau gwyn,
A thyrau disglair ieuanc fyd ar lannau'r gemog li
Ac yno triga Nia Ben Aur, y ferch a gerais i.

(allan o'r gân 'Nia Ben Aur' gan Tecwyn Ifan a Cleif Harpwood
o'r sioe *Nia Ben Aur*)

Atodiadau

Adnoddau

Casgliadau o farddoniaeth o'r gweisg Cymraeg a llyfrau eraill i'ch cynorthwyo.

Mae nifer o'r cerddi yn addas ar gyfer eu darllen, eu perfformio a'u defnyddio ar gyfer modelu ysgrifennu.

Cerddi'r Cof – *Goreuon Barddoniaeth i Blant*, Golygydd – Mererid Hopwood, Gwasg y Dref Wen (Casgliad newydd sbon o hen ffefrynnau.)

Denu Plant at Farddoniaeth – Pedwar Pŵdl Pinc a'r Tei yn yr Inc – Gwasg Carreg Gwalch/CBAC

Denu Plant at Farddoniaeth – Cerddi ac Ymarferion: Cyfrol 1 – Armadilo ar fy Mhen – Gwasg Carreg Gwalch

Denu Plant at Farddoniaeth – Cerddi ac Ymarferion: Cyfrol 2 – Sach Gysgu yn Llawn o Greision, Gwasg Carreg Gwalch

Llyfrau Barefoot – Gwasg sy'n cyhoeddi mwy a mwy o lyfrau Cymraeg sy'n "dathlu celf a storïau". Ewch i'w gwefan am y newyddion diweddaraf, www.llyfraubarefoot.co.uk

Wyddwn i Mo Hynna am Gymru – Addasiad Sian Northley, Cymdeithas Lyfrau Ceredigion. Ffeithiau am Gymru ac am y Cymry.

O ddweud stori i greu stori yng Nghyfnod Allweddol 1 – Pie Corbett, Addasiad Eirwen Jones, CBAC

Gwybodaeth am lyfrau Cymraeg

www.gwales.com/

Dyma restr o lyfrau defnyddiol. Ni allwn sicrhau eu bod yn dal i fod mewn print, ac y mae llawer mwy na hyn o deitlau ar gael.

- *Amser Maith yn Ôl* – John Owen Huws, Gwasg Carreg Gwalch

- *Cadog a'r Llygoden* – Siân Lewis, Gwasg Carreg Gwalch

Atodiadau

- *Campau Saith Cawr* – Brenda Wyn Jones, Gwasg Gomer

- *Cantre'r Gwaelod* – Siân Lewis, Gwasg Gomer

- *Y Crwban a'r Ysgyfarnog* – Elin Meek, Gwasg Gomer

- *Creaduriaid Rhyfeddol* – Helen Davies, Gwasg Gomer

- *Chwedlau Gwerin Cymru* – Golygydd Robin Gwyndaf, Amgueddfeydd ac Orielau Cenedlaethol Cymru

- *Culhwch ac Olwen* – Addasiad Gwyn Thomas, Gwasg Prifysgol Cymru

- *Chwe Chwedl Werin* – John Idris Owen, Canolfan Technoleg Addysg Clwyd

- *Chwedlau Hud a Lledrith o Gymru* – Jane Pugh, Dref Wen

- *Chwedlau Siôn ac Eler*i – John E. Williams, Gwasg Carreg Gwalch

- *Cyfres Chwedlau Chwim* – Cantre'r Gwaelod, Rhys a Meinir, Dic Penderyn, Gwylliad Cochion Mawddwy, Maelgwn Gwynedd – Meinir Wyn Edwards, Y Lolfa

- *Cynllun y Porth: 8. Storïau a Chwedlau (Pecyn)* – Golygydd Elfyn Pritchard, Gwasg Gomer/CBAC

- *Chwa o Chwedlau Aesop* – Addasiad Myrddin ap Dafydd, Gwasg Carreg Gwalch

- *Chwedlau Grimm* – Cyfieithwyd gan Dyddgu Owen, D. Brown a'i feibion Cyf, Y Bont-faen

- *Chwedlau o'r Gwledydd Celtaidd* – Rhiannon Ifans, Y Lolfa

- *Chwedl Taliesin* – Cyfaddasiad Gwyn Thomas, Gwasg Prifysgol Cymru

- *Chwedlau'r Brenin Arthur* – Rhiannon Ifans, Y Lolfa

Atodiadau

- ***Chwedl Arthur – Myrddin Wyllt; Cadlywydd y Brythoniaid*** (Llyfr ar ffurf stribed comic) – Addasiad Alun Ceri Jones, Dalen

- ***Cyfres Chwedlau o Gymru*** *– Y Llygaid Dall*, Elin Meek; *Stori Branwen*, Tegwyn Jones; *Morwyn Llyn y Fan*, Gwenno Hughes; *Y Bychan Benthyg*, Meinir Pierce Jones; *Bargen Siôn*, Meinir Pierce Jones; *Gwion a'r Wrach*, Tegwyn Jones – Gwasg Gomer

- ***Cyfres y Wiwer****: Midas, Y Brenin Gwirion a Chwedlau Groegaidd Eraill; Caredigrwydd Caradog a Storïau Eraill* – Juli Phillips, Gwasg y Dref Wen

- ***Hud y Mabinogi*** – Rhiannon Ifans, Y Lolfa

- ***Hwyaden Hyll*** – Siân Lewis, Gwasg Carreg Gwalch

- ***Llyfrau Dau Dau: Llyfr Mawr Culhwch*** – Mary Vaughan Jones, Cymdeithas Lyfrau Ceredigion

- ***Mr Penstrwmbwl a'r Ddraig Fach*** – Addasiad Elin Meek, Gwasg Gomer. Gellir prynu CD o weithgareddau ar gyfer y Bwrdd Gwyn Rhyngweithiol o Swyddfa'r Athrawon Bro, Adran y Gymraeg, Canolfan Lôn Ganol, Dinbych, Sir Ddinbych LL16 3UW 01824 712045

- ***Mwnci yn Helpu*** – Emrys Roberts, Gwasg y Dref Wen

- ***Melangell*** – Eiry Palfrey, Gwasg Gomer

- ***Odyssews ar Ynys y Wrach a Chwedlau Groegaidd Eraill*** – Juli Phillips, Dref Wen

- ***Rhys a Chwcw Rhisga*** – Siân Lewis, Gwasg Carreg Gwalch

- ***Sibrwd Stori*** – Richard Eastwood, Gwasg Gomer

- ***Straeon yng Ngolau'r Tân*** –Addasiad Tegwyn Jones, Cymdeithas Lyfrau Ceredigion

- *Straeon Gwydion* – Dewi Tomos, Gwasg Carreg Gwalch

- *Straeon Cymru* – 1. *Gelert*, Elena Morus 2. *Olwen*, Elena Morus 3. *Clustiau March*, Elena Morus 4. *Cantre'r Gwaelod*, Elena Morus 5. *Merch y Llyn*, Esyllt Nest Roberts 6. *Dinas Emrys*, Esyllt Nest Roberts 7. *Dwynwen*, Esyllt Nest Roberts 8. *Elidir a'r Tylwyth Teg*, Esyllt Nest Roberts 9. *Blodeuwedd*, Esyllt Nest Roberts 10. *Rhita Gawr*, Esyllt Nest Roberts

- *Straeon Cymru*: 10 o Chwedlau Cyfarwydd (Esyllt Nest Roberts ac Elena Morus) (CD)

- *Straeon Plant Cymru* – *Ogof y Brenin Arthur, Straeon y Tylwyth Teg, Gelert y Ci Ffyddlon, Barti Ddu, Môr-leidr o Gymru, Meini Mawr Cymru, Draig Goch Cymru*, Myrddin ap Dafydd, Gwasg Carreg Gwalch

- *Storïau Hans Andersen* – Addasiad Elfyn Pritchard, Gwasg Dwyfor

- *Swynion* – Julie Rainsbury, Gwasg Gomer

- *Y Ffyliaid a Phethau Ffiaidd Eraill* – Addasiad Elin Meek, Gwasg Gomer

- *Y Llyn Hud* – Addasiad Helen Emanuel Davies, Gwasg Gomer

- *Y Llyfr Rysetiau*: Gwaed y Tylwyth, Nicholas Daniels, Gwasg y Dref Wen

- *Y Mabinogi* – Gwyn Thomas, Y Lolfa

Gwefannau defnyddiol

Gwefannau ar gyfer athrawon – cofiwch ymweld â hwy:

www.amgueddfacymru.ac.uk/cy/storiwerin/storïwyr/
Gallwch glywed chwedlau'n cael eu hadrodd yma.

www.storyarts.org/lessonplans/lessonideas/index.html
Yn cynnwys syniadau ar gyfer paratoi gwersi a gweithgaredd megis helfa drysor.

www.sfs.org.uk
Dyma wefan y *Society for Storytelling*. Gallwch ymuno â'r gymdeithas a chael adnoddau oddi wrth Hugh Lupton. Mae yma restr o gryno ddisgiau a

Atodiadau

thapiau yn fanc gwych o storïau ar gyfer y dosbarth, a rhestr o gyfeiriadau i'ch arwain i fyd newydd o adnoddau dweud stori.

www.ngfl-cymru.org.uk/cym/index-new.htm
Gwefan yn llawn syniadau ac adnoddau, a hynny yn y Gymraeg.

www.public.pgfl.org.uk/elyfraucasmael/index.html
E-lyfrau a mwy o Sir Benfro.

Banc o Symudiadau	
Cysylltair allweddol	**Awgrym o ran symudiad**
Un tro	– agor y dwylo fel llyfr
Yn gynnar un bore	– pen i un ochr ar y dwylo ac actio fel petaech yn deffro
roedd	– gwneud cylch yn yr awyr gyda'r mynegfys
Yn gyntaf	– un bys i fyny
Yna	– 2 fys yn pwyntio i un ochr
Ond	– bodiau i lawr
Achos	– dwylo tuag allan a'u cledrau ar agor
Yr eiliad honno Yn sydyn Er mawr syndod iddo/iddi Ac yn wir i chi Yn anffodus	– dwylo'n codi'n llawn mynegiant i ddangos syndod
Yn ffodus	– dwylo ar i fyny fel pe baech yn diolch
Wedyn/ar ôl hynny/ ac wedyn	– rholio'r dwylo, un llaw dros y llall
Felly	– dwy law, naill ochr i ganol y corff
Yn olaf	– cledr y llaw yn wynebu'r gynulleidfa fel plismon yn stopio traffig
Yn y diwedd Ymhen hir a hwyr	– dod â'r dwylo at ei gilydd fel pe baech yn cau llyfr

Atodiadau

Ffuglen – taflen i'ch atgoffa

1. **Amrywiwch y brawddegau er mwyn creu effaith:**
   - Brawddegau byrion, syml – i greu drama ac eglurder: *Rhedodd Tom.*
   - Brawddegau cyfansawdd er mwyn i'r mynegiant lifo: *Cerddodd Tom a rhedodd Mair.*
   - Brawddegau cymhleth er mwyn cyflwyno haenau o wybodaeth: *Wrth i Tom redeg, bwytaodd Mair y gacen.*
   - Cwestiynau i dynnu'r darllenydd i mewn i'r stori: *Beth sydd yna?*
   - Ebychnodau er mwyn creu argraff: *Rhed am dy fywyd!*
   - Brawddeg dri pheth i greu disgrifiad: *Gwisgai glogyn du, esgidiau gloyw a throwsus coch. Roedd yr ellyll yn dal, yn esgyrnog ac yn flewog iawn.*
   - Brawddeg o dri symudiad: *Rhedodd Tom i lawr y ffordd, neidiodd dros y gwrych a llewygodd.*

2. **Amrywio dechrau brawddegau:**
   - Agoriad yn defnyddio adferf (sut): *Yn araf, ...*
   - Agoriad yn defnyddio cysylltair (pryd): *Yr eiliad olaf cyn cysgu, ...*
   - Agoriad yn defnyddio arddodiad/lleoliad (lle): *Ar ben y mynydd ...*
   - Agoriad yn defnyddio ansoddair: *Plygai coed tal dros yr afon ...*
   - Agoriad yn defnyddio cymhariaeth: *Mor gyflym â mellten ... Fel gafr ar daranau ...*
   - Agoriad un gair: *Trist,...*
   - Agoriad yn defnyddio 'yn': *Yn benisel, cerddodd Tim adref ...*
   - Agoriad yn defnyddio 'wedi': *Wedi blino'n llwyr, rhedodd Tim adref.*

3. **Cynnwys cymalau yn y frawddeg.**
   - Pwy: *Rhedodd Tim, a oedd wedi blino'n lân, am adref.*
   - P'run: *Rhedodd y gath, a edrychai'n filain, am adref.*
   - A: *Toddodd y car, a adeiladwyd o fetel, yn yr haul tanbaid!*
   - 'a oedd': *Llusgodd Tim, a oedd yn gobeithio am dawelwch, i'r 'stafell athrawon.*
   - '... wyd': *Llyncodd Tim, a ddychrynwyd gan ddosbarth 4, gacen anferth arall.*

4. **Defnyddio 'gan', '** (Byddai modd defnyddio ...**wrth**..., ...**cyn**..., ...**heb**... hefyd)
   - Cyn: *Gan chwerthin am ben y ci, syrthiodd Tim wysg ei gefn.*
   - Yn ystod: *Syrthiodd Tim, gan chwerthin am ben y ci, wysg ei gefn.*

Atodiadau

- Wedyn: *Syrthiodd Tim wysg ei gefn, gan chwerthin am ben y ci.*
- Cyfarwyddiadau ar gyfer iaith lafar: *"Haia," sibrydodd Tom, gan godi ei law ar Bili.*

Cofiwch ymarfer – mathau o frawddegau sy'n berthnasol i'r math o destun dan sylw – bydd hyn y siŵr o arwain at welliant yng ngwaith y plant.

Rhowch wahanol fathau o sillafiadau a brawddegau ar gardiau, matiau, ac mewn arddangosiadau, a.y.b.

Rhestrwch y geiriau allweddol a nodweddion brawddegol sydd eu hangen er gwelliant yn eich cynlluniau.

Banc Iaith Gwneud Stori Dosbarth Derbyn

Modelwch yr iaith yn eich gweithgareddau dosbarth dyddiol gan roi pwyslais ar symudiadau wrth eu dweud.

I'w cyflwyno

Un tro
Un diwrnod/ Yn gynnar un bore
A
Yna
Wedyn/ Nesaf
Tan/nes
Ond
Felly
Yn olaf/ Yn y diwedd

Yn hapus am byth

Roedd ... oedd ...

'Rhedeg' *(cerddodd a cherddodd ...)*

Disgrifiad – *cath fawr – hen gath hyll ...*

Cyflythreniad

Adferfau: Yn ffodus/ Yn anffodus

Arddodiaid: i lawr, i mewn, dros, allan, ar

Atodiadau

Banc Iaith Gwneud Stori Blwyddyn 1

Modelwch yr iaith yn eich gweithgareddau dosbarth dyddiol gan roi pwyslais ar symudiadau wrth eu dweud.

I'w Cadarnhau	I'w Cyflwyno	
Un tro	Ar ôl hynny/ Wedi hynny	Yn fuan/ Cyn
Yn gynnar un bore	Un diwrnod	gynted â
A	Yr eiliad honno/ Y foment	Yn sydyn
Yna	honno	Er syndod
Wedyn/ Nesaf	Achos	
Tan/nes	Erbyn y bore wedyn	
Ond	Yn y diwedd	
Felly	Os...	
Yn olaf/ Yn y diwedd	Yn gyntaf	
	Rŵan/ Nawr	
Roedd ... oedd ...		
	...hynny yw...	
	...neu...	
	...fel bod...	
	...pan...	
	...lle roedd	
■ 'Rhedeg ' (*cerddodd a cherddodd ...*)	Ailadrodd i greu effaith	
■ Disgrifiad – cath fawr – *hen gath hyll ...*	Ansoddeiriau i ddisgrifio Cymhariaeth yn defnyddio 'â/fel'	
■ Cyflythreniad	Adferfau: yn sydyn, y foment honno,	
■ Adferfau: yn ffodus/yn anffodus	yr eiliad honno, y munud hwnnw	
■ Arddodiaid: i lawr – i mewn, dros, allan, ar	Arddodiaid: o fewn, tu mewn, tuag at	
■ Yn hapus am byth		

Atodiadau

Banc Iaith Gwneud Stori Blwyddyn 2

*Modelwch yr iaith yn eich gweithgareddau dosbarth dyddiol
gan roi pwyslais ar symudiadau wrth eu dweud.*

I'w Cadarnhau		I'w cyflwyno
Un tro	Yn sydyn	Er
Yn gynnar un bore/ Ben bore	Er syndod iddo/iddi	er hynny
Un diwrnod	Wedyn/ Ar ôl hynny	ac yn wir i chi
A	Felly	
Yn gyntaf	Erbyn y bore wedyn	
Yna	Os	
Wedyn/ Ac wedyn	Rŵan/ Nawr	
Ar ôl hynny/ Nesaf	Yn fuan/ Cyn gynted â	
Tan/nes	Yn y diwedd	
Ond	Yn olaf	
Achos		
Yr eiliad honno/ Y foment honno / Y munud hwnnw		...i...
... pwy...		
... a oedd...		
... neu...		
... fel bod...		
... pan...		
... lle roedd...		
... yn hapus am byth...		
■ 'Rhedeg' (*cerddodd a cherddodd ...*)	Ailadrodd i greu effaith	
■ Disgrifiad – *cath fawr – hen gath hyll ...*	Ansoddeiriau disgrifio	
■ Cyflythreniad	Adferfau: o'r diwedd/ ymhen hir a hwyr	
■ Cymariaethau gan ddefnyddio 'â'	Arddodiaid	
■ Ansoddeiriau i ddisgrifio	Cymariaethau gan ddefnyddio – 'fel'	
■ Adferfau: Yn ffodus/yn anffodus, yn sydyn, yr eiliad honno, y foment honno, y munud hwnnw	Brawddeg o dri disgrifiad – *Roedd o'n gwisgo clogyn coch, esgidiau gloyw a het uchel.*	
■ Arddodiaid: i lawr, i mewn, dros, allan, ar, o fewn/tu mewn, tuag at		

Atodiadau

Banc Iaith Gwneud Stori Blwyddyn 3/4

*Modelwch yr iaith yn eich gweithgareddau dosbarth dyddiol
gan roi pwyslais ar symudiadau wrth eu dweud.*

I'w Cadarnhau

		I'w cyflwyno
Un tro	Yn sydyn	Yn hwyrach/ Yn
Yn gynnar un bore/ Ben bore	Er syndod iddo/iddi	ddiweddarach
Un diwrnod	Wedyn/ Ar ôl hynny	pan
A	Felly	pryd bynnag
Yn gyntaf	Erbyn y bore wedyn	Yn ddisymwth/ Yn
Yna	Os	ddirybudd
Wedyn/ Ac wedyn	Rŵan/ Nawr	ymhen hir a hwyr
Cyn	Yn fuan/ Cyn gynted â	amser maith yn ôl
Fel	Yn y diwedd/ O'r diwedd	ac felly bu
Ar ôl hynny/ Nesaf	Yn olaf	heb
Tan/nes	er	
Ond	er hynny	
Achos	ac yn wir i chi	
Yr eiliad honno/ Y foment	Cyn gynted â/ag	
honno / Y munud hwnnw	Tra	

...pwy...
... a oedd ...
... neu...
... fel bod...
... pan ...
...lle roedd...
...yn hapus am byth ...

- 'Rhedeg'(*cerddodd a cherddodd ...*)
- Disgrifiad – *cath fawr – hen gath hyll ...*
- 'Sut' – ar ddechrau brawddeg – *Yn araf ...*
- 'Ble' – ar ddechrau brawddeg – *Ym mhen draw'r stryd ...*
- Cyflythreniad a chymariaethau

- '...odd'– ar ddechrau cymal: *Syrthiodd Tim yn glep i'r llawr, wedi blino'n llwyr.*
- Cynnwys cymal 'odd' – yng nghanol brawddeg: *Wrth redeg, syrthiodd Tim i'r llawr.*
- Cynnwys cymal 'a oedd'– yng nghanol brawddeg: *Roedd Tim, a oedd yn hwyr beth bynnag, allan o wynt.*
- Brawddegau byrion, cwestiynau, ebychnodau
- Brawddeg o dri i ddisgrifio, e.e. Roedd o'n gwisgo clogyn coch, esgidiau gloyw a het uchel.
- "" + berf siarad/adferf

Atodiadau

Banc Iaith Gwneud Stori Blwyddyn 5/6

Modelwch yr iaith yn eich gweithgareddau dosbarth dyddiol gan roi pwyslais ar symudiadau wrth eu dweud.

I'w Cadarnhau		I'w cyflwyno
Un tro Yn gynnar un bore/ Ben bore Un diwrnod A Yn gyntaf Yna Wedyn/ Ac wedyn Tan/nes Ar ôl hynny/ Nesaf Ond Achos Yr eiliad honno/ Y foment honno/ Y munud hwnnw ...neu... ...fel bod... ...a oedd... ...er mwyn... ...pan... ...pryd... ...yn hapus am byth	Yn sydyn/ Ar unwaith Er syndod iddo/iddi Erbyn y bore Wedyn/ Ar ôl hynny Felly Erbyn y bore wedyn Os... Cyn Cyn gynted â/ag Tra Rŵan/ Nawr Yn fuan/ Cyn gynted â Yn y diwedd/ O'r diwedd Yn olaf Er Er hynny Ac yn wir i chi Yn hwyrach/ Yn ddiweddarach Pan Pryd bynnag Yn ddisymwth/ Yn ddirybudd Ymhen hir a hwyr Amser maith yn ôl Ac felly y bu	Manylu, e.e. Yn gynnar un bore rhewllyd

- 'Rhedeg' (*cerddodd a cherddodd ...*)
- Disgrifiad – *cath fawr – hen gath hyll ...*
- 'Sut' – dechrau brawddeg – *Yn araf ...*
- 'Ble' – dechrau brawddeg – *Ym mhen draw'r stryd ...*
- '...odd'– ar ddechrau cymal: *Syrthiodd Tim yn glep i'r llawr, wedi blino'n llwyr.*
- Cynnwys cymal 'odd' – yng nghanol brawddeg: *Wrth redeg, syrthiodd Tim i'r llawr.*
- ...wedi... ar ddechrau cymal, e.e. *Wedi blino'n llwyr, rhedodd Tom adref.*
- Cynnwys cymal 'wedi' yng nghanol brawddeg: *Dyma Tim, wedi hen flino, yn rhedeg adref.*
- Brawddeg o dri digwyddiad: *Rhedodd Tim adref, eisteddodd i lawr ac yfodd ei de.*
- Siarad + cymal yn cyfarwyddo: *"Aros," sibrydodd gan godi ei gwpan de.*

Atodiadau

- Cynnwys cymal 'a oedd'– yng nghanol brawddeg : *Roedd Tim, a oedd yn hwyr beth bynnag, allan o wynt.*
- Brawddegau byrion, cwestiynau, ebychnodau
- "" + berf siarad/adferf
- Cyflythreniad a chymariaethau

- Personoliad

Cydnabyddiaethau

Mae nifer o'r storïau a gyflwynir isod yn wahanol i'r rhai sydd yn y llyfr *The Bumper Book of Storytelling into Writing Key Stage 2* gan Pie Corbett, Clown Publications. Mae hyn yn golygu bod gennych fanc ehangach o storïau, o'u haddasu, a llawer o'r rheini yn rhai Cymreig. Cofiwch hefyd am *O ddweud stori i greu stori yng Nghyfnod Allweddol 1*, Pie Corbett, addasiad Eirwen Jones, CBAC.

Blwyddyn 3

- **Midas** – Dyma stori sydd wedi bod yn boblogaidd o genhedlaeth i genhedlaeth. Chwedl Roegaidd yw hon o waith Ofydd, awdur *Metamorphoses*. Addasiad o waith Pie Corbett sydd yma.

- **Y Llyn Hud** – Stori o'r Yemen yw hon. Mae hi'n stori hyfryd sydd wedi ei haddasu i'r Gymraeg gan Helen Emanuel Davies. Gweler y llyfr lliwgar, *Y Llyn Hud* (Gwasg Gomer) am y testun gwreiddiol a syniadau i greu'r map stori.

- **Y Blaidd a'r Saith Myn Gafr** – Mi gawson ni oriau o hwyl yn actio'r stori hon yn yr ysgol gynradd. Un o chwedlau Grimm ydy hi.

- **Melangell** – Mae hon yn stori sy'n denu cydymdeimlad y darllenydd ac yn hen, hen stori. Mae sawl fersiwn ar gael.

- **Y Crëyr Glas, Y Gath a'r Fiaren** – Dyma stori syml, na chlywais i erioed mohoni o'r blaen. Ewch i wefan Amgueddfa Cymru i glywed hon, a storïau eraill, yn cael eu hadrodd.

- **Sioncyn y Gwair a'r Morgrugyn** – Mae cerdd D.H. Culpitt (gweler *Blodeugerdd y Plant*, Golygyddion Gwilym Rees Hughes ac Islwyn Jones, Gwasg Gomer) yn crynhoi'r chwedl hon i'r dim. Un o chwedlau Esop ydy hi. Atgynhyrchwyd yma trwy ganiatâd caredig Gwasg Gomer.

Blwyddyn 4

- **Cyfrinach y Winwns** – Stori o'r Aifft yw hon ac mae'r fersiwn wreiddiol i'w gweld yn *Straeon y Gwledydd* gan Alwyn Thomas, Hughes a'i Fab, Wrecsam. Mi wirionais ar ei digrifwch flynyddoedd maith yn ôl.

- **Dwynwen** – Mae dydd gŵyl Santes Dwynwen yn arbennig iawn i ni'r Cymry. Ar Ionawr y 25ain bydd cariadon yn gyrru cardiau ac anrhegion y naill at y llall. Dyma hanes Dwynwen drist.

Cydnabyddiaethau

- **Y Llwynog a'r Frân** – Chwedl arall o waith Esop. Defnyddiwch y stori syml neu'r gerdd ar gyfer y 'datblygiad'. Y bardd yw W. Rhys Nicholas. (Gweler *Blodeugerdd y Plant*, Golygyddion Gwilym Rees Hughes ac Islwyn Jones, Gwasg Gomer; atgynhyrchwyd yma trwy ganiatâd caredig Gwasg Gomer.) Addasiad o fersiwn Pie Corbett o'r stori sydd yma.

- **Y Pibydd Brith** – Diolch i'r bardd I. D. Hooson a Pie Corbett. Mae 'Llygod' yn ddetholiad allan o'r gerdd 'Y Fantell Fraith' gan I. D. Hooson (*Cerddi a Baledi* gan I. D. Hooson, Gwasg Gee; atgynhyrchwyd yma trwy ganiatâd caredig y cyhoeddwyr). Dylai pob disgybl wybod am waith y bardd I. D. Hooson. Dywed Pie Corbett fod gan Joseph Jacobs fersiwn o'r stori hon. Cred llawer bod y stori wedi ei seilio ar Grwsâd y Plant yn y Canol Oesoedd pryd y bu i blant adael eu pentrefi o'u dewis eu hunain. Addasiad o stori o waith Pie Corbett sydd yma.

- **Ogof y Brenin Arthur** – Mae degau o storïau tebyg ar gael. Hoffais hon pan oeddwn i'n blentyn.

- **Pam Mae Cynffon yr Arth Mor Fyr?** – Mae storïau "Pam mae...?" wedi apelio ataf erioed ac maen nhw'n rhai gwych i'w 'datblygu'.

Blwyddyn 5

- **Icarws** – Clywodd Pie Corbett y stori hon gan ei rieni, fel llawer ohonom ninnau. Mae'r stori wreiddiol yng ngwaith Ofydd sef *Metamorphoses*. Addasiad o fersiwn Pie Corbett sydd yma.

- **Peidiwch Byth â Gweiddi, "Blaidd!"** – Un o chwedlau cyfarwydd Esop yw hon â gwers yn ei chynffon. Addasiad o fersiwn Pie Corbett sydd yma.

- **Y Llygoden a'r Llew** – Un o chwedlau Esop eto a'r wers yn un amserol er hyned y chwedl. Addasiad o fersiwn Pie Corbett o'r stori sydd yma.

- **Cantre'r Gwaelod** – Diolch i'r bardd J. J. Williams. Mae'r stori'n drychineb hudol a'r ddau bennill mor gofiadwy â'r stori. Mae penillion eraill hefyd. Mae'r gerdd lawn i'w gweld yn *Barddoniaeth y Plant* Cyfrol 3, © Hughes a'i Fab 2009. Atgynhyrchwyd yma trwy ganiatâd caredig y cyhoeddwyr.

- **Merch y Llyn** – Mae'r stori hon yn perthyn i'n chwedloniaeth ni fel Cymry. Er, mae'n debyg mai duwies Roegaidd roddodd sail i'r stori.

- **Skillywidden** – Plentyn o Gernyw a ddywedodd y stori hon wrth Pie Corbett. Mae mwy o wybodaeth amdani yn *The Penguin Book of English Folktales*.

Cydnabyddiaethau

Blwyddyn 6

- **Culhwch ac Olwen** –Mae fersiwn gyflawn o stori Culhwch ac Olwen yn Llyfr Coch Hergest (tua 1400) sef un o brif ffynonellau Pedair Cainc y Mabinogi ac mae rhannau o'r stori yn Llyfr Gwyn Rhydderch (tua 1350) hefyd. Felly mae'n rhyfeddol o hen!

- **Y Gamlas** – Pie Corbett yw'r awdur ac mae'r stori wedi ei sbarduno gan gamlas wrth ymyl ei gartref lle'r arferai ei blant chwarae. Gwnes ambell i newidiad i fersiwn yr awdur.

- **Yr Ornest** – Un arall o chwedlau Esop. Mae'n siŵr bod llawer ohonoch yn cofio ei hactio, fel finnau. Dyma roi cynnig ar gyflwyno'r chwedl ar ffurf penillion syml. Dull arall o 'ddatblygu' stori. Diolch i Pie Corbett am roi'r syniad i mi.

- **Dinas Emrys** – Mae llawer o storïau'n gysylltiedig â Gwrtheyrn, a llawer o storïau yn gysylltiedig ag angenfilod. Mae sawl fersiwn o'r stori ar gael.

- **Swp o Wellt, Clap o Lo a'r Ffeuen Fach** – Addasiad o fersiwn y Brodyr Grimm sydd yma.

- **Nia Ben Aur** – Stori Wyddelig ydy hon. Mae fersiwn o'r stori ar gael yn llyfr Alun Ifans, Gwasg y Dref Wen. Cofiwch am ganeuon o'r sioe *Nia Ben Aur* a'r gân deitl gan Tecwyn Ifan a Cleif Harpwood oddi ar record hir Ac Eraill, Cyhoeddiadau Sain. Atgynhyrchwyd yma trwy ganiatâd caredig y cyhoeddwyr.